在瞬息萬變的世界中，應付考試只是初階。

你為何而學？就是為了讓自己成為更厲害的學習者！

能快速吸收理解，並為自己負責，創造你想要的未來。

把 impossible 變成 I'm possible!

這就是你的不敗學習力！

劉軒 著

不敗學習力

學霸都在用的10大聰明讀書法

不敗學習力

學霸都在用的10大聰明讀書法

自序

學習如何學習

親愛的同學，你好：

當你翻開這本書時，我猜你八成在想：書裡肯定有一些學習的祕笈，只要我學會了，就能在學習上如虎添翼。

如果你的預期是這樣，我可以明確告訴你，沒錯！這本書裡確實有一些看起來像「祕笈」的東西，只要你了解它、掌握它，你的學習能力一定會得到提升。因為這些是經過全世界最頂尖的心理學家、學習專家，和腦科學家所研究出來的成果。但在打開這本「祕笈」之前，我想先和你聊聊：學習，是一種什麼樣的能力？當學習時，你有沒有感到自己在發揮這種能力呢？

好像沒人教過我們「學習」這件事，應該要怎麼學習？或者說，學習這件事，難道不應該經過學習之後，才能更好的學習嗎？

我上哈佛大學之前，也沒有想到這個問題。在很多人眼裡，我一定是個很會念書的學霸，不然怎麼能上哈佛？也確實，很長一段時間裡，我自認是個很會學習的人。

學霸上哈佛

移民美國後，只會幾句簡單英文的我，通過努力，以全校第一名考入史岱文森高中。在史岱文森高中又提前半年達成畢業資格，被哈佛大學錄取。所以我自認還是有兩把刷子的。但是進入哈佛之後，我這個「學霸」被更厲害的學霸幹掉了！我心服口服。我也才知道，對於「學習」，我還得「好好學習」一番。

哈佛大學坐落在美國波士頓的劍橋鎮，那是一個非常古老的小鎮。開學那天，爸媽親自開車送我去學校，對他們來說，那應該是非常驕傲的日子。

我母親特地叮囑我：「你一定要好好學習，不要總是待在宿舍裡，多去圖書館，多看書，多向教授請教。」

大概在我母親心中，哈佛生活就是在那座古香古色、超級大的圖書館裡，她的兒子每天清晨早早占好座位，讀到傍晚時分，再背著書包離開吧。

但其實，哈佛的社團活動超級多，也特別好玩！當時我參加了亞洲同學會、一個雜誌社，還在電臺做ＤＪ。當然了，我知道學習是第一重要的事，所以我也準備要好好規劃，在知識的海洋裡遨遊一番。

哈佛第一年是修通識課程，你可以選任何一門感興趣的課程。聽過來人的經驗說，最好別選超過四門課，但也不要少於三門課。於是，「入鄉隨俗」，我就選了四門課。

我身邊的同學說：「軒，你要好好規劃時間，因為每堂課要讀的書非常多。」我想，沒問題，我最擅長讀書了！但等到去買課本的時候，我真傻眼了。

知識的重量

哈佛校園旁邊有個書店，哈佛學生都去那兒買書。裡面有每個科目的各種書，基本上同一個科目都放在同一個書架上。你選了哪門課，只要找到那個書架，把書拿下來放在籃子裡就好。

我站在其中一個書架前面，才知道什麼叫「知識的重量」——我幾乎要搬走半個書架的書才行。怪不得同學出發前都準備一個購物車，像是去超市買菜一樣！

最後我還是借了同學的購物車，才把書拉回宿舍。我把書堆在地上，用捲尺量了一下，差不多九十公分！這就是第一個學期教授指定要讀的書！

一開始，我真是拚了老命，白天時間不夠就熬夜讀書，經常讀到滿眼血絲。第一堂上午八點半的課，我通常睡到八點二十分才醒來，洗了臉跑出去，衝刺到課堂，一坐在座位上就想打瞌睡。

我發現很多同學的黑眼圈愈來愈重，好像大家都沒辦法承受這種學習的強度。就在我累到懷疑自己的能力，在崩潰邊緣徘徊的時候，我發現了一個神人，他是我室友Joe。

初識神人室友

我還記得第一次結識這位老兄的情形。當時我搬著行李去宿舍樓，一進去就聽到很低的貝斯聲，好像有人在開party！愈走近我的房間聲音愈大，震得門框都在顫抖。我還奇怪為什麼聲音是從我房間裡傳出來的，一進去就看到了這位老兄在DJ。

我想，這太酷了！剛好我也喜歡音樂！

我們相互自我介紹，得知他除了DJ，還是田徑隊的成員，每天都要去操場訓練！往後的日子，常看到他一早就跑出門，下午有時回來睡個覺，晚上去DJ一些學生party，感覺每天的日子都挺愉快又從容的。

我有點好奇，他有多少精力放在課業上呢？相較而言，我可是幾乎每天都去圖書館讀書呢！第一個學期結束後，我問他：「Hi Joe，你的成績如何？」他聳聳肩說：「還好啊，就都A啊！」

什麼？我翻翻他的成績單，真是這樣！關鍵是，他修的課還挺難的！我太鬱悶了！心想這哥們到底是什麼樣的學霸？這麼會玩，書還念得這麼好！

於是，我忍不住問：「你怎麼能做到每天都這麼輕鬆呢？」沒想到他卻反問我：「軒，你怎麼能做到每天都那麼忙呢？」

我以為他在嘲諷我，後來發現並不是。他用很認真的態度，說：「我看你一天到晚都在讀書，動不動就抱著一堆書去圖書館。我真的不曉得你為什麼這麼有毅力，我是沒辦法啦。」

「但是你不用每天讀書，照樣全拿A啊，為什麼你能辦到呢？為什麼可以這麼輕鬆呢？」我虛心請教。

他回了我一句話：“You just do what you gotta do!”意思就是：「你就做你該做的啊！」

做你該做的

他接著解釋：「每天我們要做的事情太多，但如果你真的停下來思考，會發現絕大多數事情，不是那麼有必要去做。」

他上大學之前，就因為田徑隊要占用大量時間訓練，所以教練跟他說：「一邊訓練，一邊還要完成學業，你的時間肯定不夠用。所以你必須搞清楚，怎樣選出你必須要做的事，然後把它做好。你把這個做好之後，剩餘時間再去做別的。」

他因此養成一個習慣，隨時隨地問自己：「當下我最需要做什麼？」比如考試近了，他訓練完，衝回房間，洗個澡之後，就坐在書桌前，把書打開，盯著看很久。

我以為他在發呆，現在才知道，他是在研究書的課綱。這個課綱就是每學期開始，教授列給我們要學的內容和要讀的書。

為什麼要看這麼久？他說：「我必須先搞清楚，教授最希望我們學到什麼，以及這個課程的脈絡。因為我沒有時間、也沒辦法看完所有的東西，所以掌握這個脈絡之後，我才知道如何取捨、要看什麼書。」

這讓我開始思考一件事：學習，必須要「寒窗苦讀」嗎？要一直跟自己過不去，枯坐在那兒讀、讀、讀嗎？我過去認為，學海無涯苦作舟，要取得好成績，就得付出大量時間和精力，這才是正確的學習方法。但據我在哈佛的觀察，學霸們少有這麼做的。

他們通常既是「書蟲」，也是「玩家」。學習、社交、社團、活動、比賽，通通不落下，考試成績照樣頂呱呱。同樣一天二十四小時，是什麼讓他們如此有效率？

為此，我向很多學霸請教，了解他們的方法和經驗，而他們也很樂意分享。於是，我獲得了很多關於學習的不同角度的認知。

學習方法助你一臂之力

進入大二，我出於個人興趣，主修了心理學。心理學就是研究「人的行為和思想」的，其中有一部分就是在研究人的大腦如何記憶、如何保持專注、如何提高自我效能等等。我發現，原來Joe和那些學霸們，或許並不了解這些研究，但他們使用的學習方法，或多或少都符合心理學的研究。

於是，這成為我寫作這本書的緣起。既然這些「學習方法」如此高效又好用，為什麼不整理出來，讓更多苦惱於學習的同學，能夠一倍，甚至數倍提升自己的學習能力呢？

更方便的是，心理學中的很多研究，可以和這些方法相互佐證。只要你掌握這些方法，複製到你的學習中，必然會有好的效果。

所以，親愛的同學，無論你處在哪個年級，我都希望你能從這本書中，找到一些適合你的學習方法。

每個人的時間都是固定的，而隨著年齡增大、年級提升，你的生活會愈來愈忙，留給學習的時間會愈來愈少。那麼，如何利用這有限的時間，實現最高的學習產出，是我們在年輕時就要解決的課題。

或許學過的知識，會隨著時間推移而忘卻；讓你頭疼的考試，也隨著升學而拋諸腦後。但有效的學習方法，在你離開學校、進入工作崗位之後，仍然會源源不斷為你帶來效益。

這正是我希望達成的願景。在不斷流逝的時光裡，讓我們抓住那些根本的、重要的事吧！讓它們在之後的歲月裡，能夠閃閃發光。

Just do what you gotta do!

劉軒

台北，2021年12月

第1章

學習力

首先，讓我問你一個大問題：你到底爲何而學？仔細想想，你的答案會是什麼。

很多同學第一反應可能是：哪有爲什麼，我們就是得學呀。

沒錯，我們從小就被父母送到幼兒園，然後小學、初中、高中，一路讀上去，按部就班的學習各種知識。這是一件沒得商量、必須得做的事，而我們也默認這是一個長大成人的必要過程。

但如果我們跳出「考試升學」這個圈子，再來看看，你到底是爲何而學習呢？

比如，你正在玩一款很喜歡的遊戲，怎麼都無法通關。你開始研究遊戲的各個細節、獲得各種寶物的方法，甚至向網上的人請教祕笈。這是不是一種學習？當然是！那你爲何學呢？是爲了把遊戲打得更好。再進一步，可能是爲了在同學面前秀一下。

再比如，你很喜歡戶外運動，嚮往去野外露營、徒步、溯溪。但家長說你現在主要精力應該在學習上。你也同意這一點，但忍不住去買戶外探險的

“

自主學習，是為了實現某個目的，
或為了解決某個問題。

”

書，看紀錄片，甚至買來材料，學習打繩結、紮帳篷，研究急救技能。這是不是一種學習？當然是！那你是爲何而學呢？爲了有一天在戶外能用得上！同時也給自己一些精神上的滿足。

所以你看，我們的自主學習都是爲了「實現某個目的」，或者爲了「解決某個問題」。

只不過對很多同學來說，學校裡的學習看不到是爲了什麼目的，也無法直接用來解決任何當下的問題，但每個人都還是需要上學。這是政府規定的啊！於是，學校的「學習」往往少了自主學習的內在動力，成爲一個「我非得做，不然就……」的窘境。

這叫做「胡蘿蔔跟棒子」的動力。表現好，獲得表揚，嘗到胡蘿蔔的甜頭，可以給好學生一些動力。但表現不好的學生呢？受懲罰雖然能給予短暫的動力，但絕對教不出一個快樂的學生。

學會如何學得好

學習力，建立在一個基本的信念上：每個人都想學習，也都能學得好。只要學會如何學得好，學習可以充滿樂趣，成爲自己的動力。

想像自己是個超級學霸，學校科目樣樣精通、任何課程都難不倒你，每次考試必然是全班第一，大家奉你爲學神，在校園走路有風。那一定很爽吧？學習就是你自信的來源，能夠掌握新的知識也很有趣，當然就會有動力繼續學習。

不要認爲這是癡人說夢喔！每個人都有機會成爲成績優異的學生，即便不是無敵學霸，也可以進到前段班。

你必須相信，學校教的東西都是一般智商的人學得來的。絕對不要讓自己落入「我就是學不好，算了……」的心態。因爲當你對學習缺乏信心，但又「非得學不可」，那上學就會成爲一種折磨，讓自己更沒有動力學習。落入這種負面循環就太可惜了！所以「學會如何學習」，透過練習逐漸奏效，看到自己的成績進步，也因此重獲自信和動力。這是爲什麼我認爲每個人都需要「學習力」！

學習不等於考試

有些人成爲學霸，是因爲他們很會考試。他們很會解題、看出題目中的陷阱、運用刪減法找到正確答案……等等，但這不是「學習力」的重點。

考試重不重要？當然重要！但如果一個學生考試成績很好，考完卻把所學忘得一乾二淨，那也不算是一個眞正的學霸。考試本身不是終極目標。學得會、學得懂、記得住，那才是目標。

舉例來說，國語測驗卷上，每個題目先給線索，學生要從清單裡選出線索對應的成語，把那個成語的代號（A、B、C、D）寫在空格裡。結果某

> 考試不是終極目標，學得會、學得懂、記得住，才是目標。

位學生沒有寫代號，直接寫上成語，全部被視爲錯誤答案，雖然成語本身是對的。

老師會說，這是因爲學生沒有按照題目作答，所以要扣分。我也能理解這個邏輯。但對我來說，這位同學能夠找出對的成語，就表示他已經掌握了知識，而「能夠掌握知識」與「給出規定中的正確答案」，哪個比較重要？

人生不是只有考試而已，尤其離開學校後，許多人生的問題是沒有正確答案的。能夠活用知識來解決問題，才是王道！所以我在寫「學習力」的時候，也是以「能夠掌握知識、記住知識、活用知識」爲目標。

你聽過「冰山一角」吧？體積龐大的冰山，露在水面上的往往只有山巔的一小部分。所以，「冰山一角」用來比喻事情的眞相有一大部分是我們看不見的。

學習也像一座冰山。在海面上，我們看到的是一個人的成績，是他的表現。我們看到班上學霸的成績，也只是冰山一角。你覺得在水面下，是什麼造就一個學霸呢？

可能是聰明才智：有些同學的確似乎不怎麼複習，就能考很好，但這種ＩＱ很高的學霸算是特例。也許是家庭環境，例如父母親特別嚴格，或特別重視教育，或他有特別好的資源，有很厲害的家教幫他補習。當然，他也可能相當努力，做了不少犧牲。學霸花在學習上的時間，應該比別人多很多。

這些可能都是眞的。但如果你不算特別聰

明，家庭環境普通，也沒有花錢補習，就不能當學霸嗎？不會！你還是可以當一個學霸，但你要改變一些對學霸的認知。

一個造就眞材實料的學霸，在水下有三個「學習力」層面。

第一個層面，「高效學習技巧」

一個高效學習者，懂得優化學習效果的技巧。他知道怎麼記筆記，能最方便日後複習。他知道怎麼複習，可以在最短時間內達到最好的效果。他也知道怎麼運用特殊的技巧來增強自己的記憶力，也知道如何用「間隔複習」的方法，確保他學的東西不會輕易忘記。

第二個層面，「自我管理的習慣」

一個高效學習者，能夠把以上的技巧變成平常在課堂上、回家後就會做

“學習力三層面：高效學習的技巧、自我管理的習慣、健康的身心。”

的事，變成一種自然的習慣。這裡有許多自我管理的概念，包括如何設定目標、克服拖延症、做好時間管理等。一個懂得把概念化爲行動，建立好習慣的學生，不但會變得更主動，而且因爲是習慣、熟能生巧，反而省事也省力，整個人也可以比較輕鬆。

第三個層面，「健康的身心」

一個高效學習者，有健康的身體、心理和思維。一切都是建立在這個基礎上。有健康的身心，才能維持良好的學習狀態。但「健康身心」不只是吃得健康、睡得好、多運動而已。我們要了解身體與心理是一個密不可分的系統，並知道怎麼讓身心互補，而不是互損。我們要知道如何面對學習過程中的瓶頸，如何與負面情緒共存。遇到挫折時，又如何維持堅強樂觀的心態。

這些能力都非常重要，但不是學校會教的，連許多父母親也不一定會。

人人都能成爲高效學習者

以前，有不少學霸是逼出來的。他們非常努力，也很值得我們敬佩，但那種臥薪嘗膽的精神不一定適用於現在。現在的世界改變太快，新知識永無止境、學不完，我們要了解怎麼學習，才能眞的「終身學習」。「學習力」注重的不只是現在，而是未來。

所以，這本書就按照這個邏輯，編排成十個章節。第二至五章，將教你一些高效學習技巧，包括如何增強自己的記憶、寫更好的筆記、增加閱讀效率，並擬出複習計畫。六至八章則談到自我管理的方法，我們會談到如何理解並對抗拖延症、如何培養專注力、做好時間管理。九至十章則針對「健康的身心」，教你一些方法來面對情緒壓力，並培養更積極樂觀、成長導向的思維。

這些綜合了我在心理學領域的研究結果，加上個人實驗，以及當年在哈佛認識的許多名符其實的學霸們所傳授的經驗。我希望你看完了之後，能理解「成爲一個高效學習者」不但學得來，而且人人都能學。

最重要的第一步，就是相信自己辦得到。

我相信你絕對可以的。讓我們開始學習吧！

重點思考

- 自主學習是什麼?
- 為什麼需要學習力?
- 什麼是學習的冰山理論?
- 造就一個學霸的學習力三層面是什麼?

第2章

記憶力

誰不想要有好的記憶力？不會忘記做作業，不會搞丟東西，或叫錯人的名字，甚至連考試都能無往不利！

問題是，我們的記憶力不差，但又就差了那麼一丁點兒。考試時，我們看到卷上的問題，可能覺得似曾相識，甚至還記得在課本的哪個位置看過，還記得圖案長什麼樣子。但偏偏在最關鍵的地方，一片模糊，彷彿打了馬賽克一樣。

而且，即便我們花了很多時間準備，念了幾乎所有該念的資料，也不保證在考試時，有辦法立刻想出答案。那種明明知道自己曾經看過，卻又沒有具體印象的感覺，實在令人發瘋！

該如何鍛鍊出「好記憶」，而且還是能夠「在必要時刻派得上用場」的記憶力呢？

我們的祖先憑著記憶，知道在哪裡可以摘到美味的果實、避開凶猛的野獸，並找到回家的路。大腦擁有記憶，就是在幫助我們的生存。

在生活中，攸關生死的事你會記得特別久，直到過關了，它才會開始變

> 「攸關生死」的事記得特別久，
> 「用不上」的知識忘得特別快。

弱。而「用不上」的知識則會淡忘得非常快。

問題來了！學校所教的知識，絕大部分和生存沒有直接關係。我們考完試以後，就會把硬背的知識原封不動還給老師，大腦也會馬上消除它們。

我們要怎樣把這些記憶寫入大腦，讓它牢固不易遺忘呢？首先，要知道記憶是如何在腦中形成的。

短期記憶 vs 長期記憶

你有沒有這種經驗：上課時，老師帶領唸古文，老師說一句，全班重複說一句。儘管聽不懂那文言文的意思，也還是可以一字不漏地複誦出來。

這就是「短期記憶」。短期記憶可以讓你很完整地複誦一段文字、一串電話號碼……等等。因爲有短期記憶，我們才能聽得懂別人說的話，因爲我們需要記得一句話前面說了什麼，才能理解後面的意思。但短期記憶的容量很有限，而且忘得快。過了幾分鐘，要是有人問你：「剛才老師唸的古文是什麼？」除非你特別去記住它，不然應該大部分都不會記得了。

與短期記憶相對的，叫「長期記憶」。這才是我們一般在回想事情用到的記憶。我們會記住自己的電話號碼，就是因爲它很牢固地在長期記憶中。

任何學習的過程，都需要把知識從「短期記憶」搬到「長期記憶」。

要怎麼做呢？

最粗暴的作法，就是「重複、重複、再重複」。同樣一個句子練了一百遍，就能背得滾瓜爛熟。剛認識的新朋友，多叫幾次他們的名字，也比較容易記住。但其實，對於學校教的各種新知識來說，這麼做並不是最有效的方法。

我們要怎樣把這些記憶寫入大腦，讓它牢固不易遺忘呢？首先，要知道記憶是「如何」在腦中形成的。

“
提取，是形成記憶的重要環節。
”

記憶三部曲

我們記憶的過程分爲三個步驟：編碼、存檔、提取。

「編碼」就是把我們聽到、看到、接觸到的訊息，轉換成可以儲存在大腦裡的訊息。

這些訊息經過編碼後，大腦就會進行「存檔」。在我們的腦中，資料並不會一個個按照順序排列，而是像打霰彈一樣，打到不同的地方，編寫進不同的腦神經中。

當我們要想起一件事情時，大腦就必須從各個地方找出資料，「重組」出原來的訊息。這就是記憶過程的第三步驟「提取」。其實，「提取」的過程本身也是形成記憶的重要環節。

接下來，我們來學一些技巧，優化我們的「編碼」和「存檔」，以及如何運用「提取」，來穩固自己的記憶。

編碼優化的方法：畫面、故事

先給自己一分鐘，試著把這個清單背起來：

跑車、耳機、獵豹、跳躍、蝙蝠俠、剪刀、石頭、衣服、流血、獅子、老虎、樓梯、校長、小偷、警察

現在，請試著把清單上的東西都寫下來，不需要按照順序。

你記得了幾個？

十三至十五個：很不錯喔！你應該已經有在使用一些記憶技巧。

八至十二個：正常。一般人可以記住七至十一個。

五至七個：你可能只是看了一下清單，或沒有用心背起來。

四個以下：你有沒有專心啊？

讓我猜猜你可能答對及答錯了什麼：

我猜，你很可能會記得「跑車」，也很可能記得「警察」。因爲我們通常對清單的第一個和最後一個項目有較強的印象，這叫做「序位效應」。如果你記得「警察」，應該也會記得「小偷」，因爲這兩個有關聯性。我們比較會記得有關聯性的東西。

你可能會記得「流血」，我們會對較強烈的字眼產生印象（假如這個清單裡有髒話，你八成會記得它）。

以上這些都顯示了一些記憶的特點。我第一次做這個練習時，連記住十個都有點困難。但我們只要換個方法，就能記住所有的詞彙，那就是「用這些詞彙編一個故事」。

發揮一下想像力，看看你是否能用那個清單裡的元素，編個故事出來？

例如，我的故事是這樣的：

獵豹戴著耳機，去找獅子跟老虎，他們正在玩剪刀石頭，還沒說「布」的時候，突然校長出現，說「趕快叫警察！小偷偷走了蝙蝠俠的衣服！」說

大腦偏好圖像記憶，更偏好強烈的、有畫面的故事。

完之後，聽到跑車的聲音，校長從樓梯上立刻跳躍而下，但跌倒流血了！

現在，再按照故事回想一下，是不是能記住更多詞彙了？

雖然劇情很莫名其妙，但只要它能夠在你的腦袋裡把不相關的事物設定一個關係，有前因後果、產生故事、加上動作、形成鮮明的畫面，就更容易被大腦記住。

在我們老祖先的時代，沒有文字紀錄，人類的經驗都是透過口述故事傳達給下一代。因此，我們大腦對於「敘事」的記憶特別強。假如你碰到很難記住的知識，請多多發揮想像力，將它們編成一段有畫面的故事，雖然比傳統死背要多花一點時間，卻能大幅提升你的記憶力。

我們還常碰到很多瑣碎、空泛的東西需要記憶：英文單詞、歷史年代、人名地名，甚至數字。這時候該怎麼辦呢？

例如，如果你碰到這十八個英文字母：

A I C Z Y X I B F C B A G O D T A C

這到底要怎麼背啊？看了就頭痛！

但同樣的字母，如果組成以下：

CAT DOG ABC FBI XYZ CIA

重新組合之後，應該容易記了吧？

而如果我們要更簡化，還可以把它們組合成：

CAT DOG（貓狗）

ABC XYZ（英文字母頭尾）

FBI CIA（美國情報單位）

透過排列組合，將資料整理成較簡單的「記憶單位」，這個原理叫「意元集組」(chunking)。例如我們剛才就透過集組，把原本十八個毫無關係的英文字母（等於十八個記憶單位），濃縮成了六個單位，再進一步濃縮成了三組單位。

我在記英文單字時，常用這種方法。例如「菲律賓」——Philippines，這個單詞中有幾個L或P？連我也常常混淆。我們試著用組塊的方式，將它拆成一組一組的：

把Philippines變成Phi．lip．pines

Phi．lip．pines，彼此間雖沒什麼意思上的關聯，但個別小組卻容易記得多（lip是嘴唇、pines是松樹），光是分成區塊的動作，就可以讓這個單字好背許多。

善用縮略詞和口訣

碰到一連串的資料，我們可以把它們串成一個詞，或一句好記的話。

例如：戰國末期，秦國蠶食鯨吞了六國，最後一統天下，建立了秦朝。秦國滅六國的順序分別是：韓國、趙國、魏國、楚國，再來是燕國、齊國。

如果你要死背，實在很痛苦！但如果把「韓、趙、魏、楚、燕、齊」變成一句諧音口訣：「含著委屈嚥氣！」

你只要記住這一句話，就再也不會忘記秦滅六國的順序了！

再舉個例，心理學研究中，人的性格特質可以用五個面向來分析：

經驗開放性（Openness）

盡責性（Conscientiousness）

外向性（Extroversion）

親和性（Agreeableness）

神經質（Neuroticism）

這很難記啊！但如果你用每個詞的第一個英文字母，剛好就可以組成OCEAN（英文「海洋」）這個縮略詞。只要記得這一個字，就可以提示出每一個對應的專有名詞了。

縮略詞和口訣，都屬於同一個概念：把原本複雜的資訊，濃縮成一個較簡單、容易記住的字或句子。即便你不是每次都能成功地整理出諧音口訣或縮略詞，但**光是試圖這麼做，在過程中，你就已經加深自己的記憶了。**

記憶宮殿，聯想出好記憶

我們的記憶在大腦裡是以「聯想」的方式存檔的，所以我們可以善用這個特點，來記住更多東西。許多世界上最厲害的記憶高手，都會用一個叫「記憶宮殿」的技巧：把想要記住的東西，與一個自己已經很熟悉的空間聯想在一起。

舉例來說，如果你想要背前面那個清單，你可以想像：回到家裡一打開大門，玄關停了一輛跑車！鞋櫃上有一副耳機，然後走進客廳，看見沙發上躺了一隻獵豹！電視上在播放蝙蝠俠……

這樣一路逛自己家裡，把你要記住的東西用想像力「置入」每一個角落。日後回想時，再想像自己走同樣的路線，沿途把每個東西「撿起來」，就可以記住更多了！

點線面記憶法

以上需要記住的都是相對孤立的訊息，但我們在學校學習的知識不是孤立的，是存在於一個大教學體系中的，數量很多，又相互勾連。要如何把這些知識分門別類裝入我們的知識體系呢？

答案還是運用聯想，在知識點之間建立聯繫。當你能從一個知識點連接到另一個知識點，延伸出去，就能夠帶出整個知識體系。這種記憶方法也稱做「點線面」記憶法。

比如，南美洲的亞馬遜盆地，是全球最大、物種最多的熱帶雨林，這是一個「知識點」。從這個知識點，我們進而聯想到，因爲這些氣候特點，有哪些具代表性的物種？因爲面積大，它橫跨了哪些國家？它物種最多，著名的物種有哪些？這就是從「知識點」延伸出了一條條「知識線」。

接著聯想，因爲這些氣候特點、物種特點，使得這些國家的國民經濟以哪些爲支柱？使得文化、宗教乃至民俗，有哪些不同的風貌？當亞馬遜雨林遭到濫砍濫伐，對全球的氣候產生什麼樣的影響……等等，就從知識點鋪陳出了「知識面」。

這就是整個知識體系的呈現了。**當你能夠做到從一個知識點，拉出整個知識體系，這在你的記憶中，就會比沒有體系的知識要牢固得多了。**

「遺忘」是有曲線的

遺忘，是學習中最常見的現象。花很多時間背東西，考試時卻想不起

“

定期複習，拉平遺忘曲線，
就可以忘得較慢。

”

來。大家都有這種慘痛的經驗吧！

一百多年前，有一位叫艾賓浩斯的心理學家，就想要用科學的方法來了解這個現象。

他逼自己背誦各種隨機的字母組合，然後每隔一段時間就考自己，看能記住多少，以此測量出記憶退化的速度。一次又一次的實驗後，他發現遺忘的比例似乎有個規律：學習一小時後，大約會忘記50％的資訊。一天之後，大約會忘記70％！但剩下的30％，被忘記的速度較慢。他發現遺忘是隨著時間拉長，呈現曲線式下降，藉此繪出了著名的「艾賓浩斯遺忘曲線」。

艾賓浩斯還發現：只要學習後定期複習，同一批資訊就會被忘得愈來愈慢。換句話說，它們所呈現的遺忘曲線會愈來愈平。當我們忘得較慢，複習的間隔就可以拉長，甚至一、兩個月再複習一次，也可以記住大部分的知識。

那麼，什麼是最恰當的複習間隔呢？

在一九八〇年代，一位波蘭學者花了不少時間研究，他的結論是：

- **第一次複習：學習一天後**
- **第二次複習：七天後**
- **第三次複習：十六天後**
- **第四次複習：三十五天後**

簡單來說，大約每次就是上一個間隔的一倍時間。

如果按照這個方法進行，考試前的最後一次複習，需要花的時間也會少得多。

對抗遺忘曲線：間隔式提取

「間隔式複習」也很講究方法，而最有效的方法，就是「間隔式提取」。差別在哪裡呢？

如果你只把筆記和課文再拿出來看一遍，那是比較被動的複習方式。「提取」，則是在不看筆記和課文的狀況下，試圖主動回憶。如果印象模糊，先努力想一想！實在想不起來，再看答案。

教育家發現，當我們試圖「提取」一個記憶時，提取的過程本身就會使大腦更加用力，而這個「用力」有助於我們的記憶，就像舉重會讓肌肉更強壯一樣。

當我們從遺忘邊緣把一個記憶努力「追回來」的時候，那個過程會讓我們更難忘記它。而通過自我檢測，定期做「間隔式提取」，是我認爲最有效的記憶方法！

抽認卡助記憶

許多人學英文，最怕背英文單詞。讓我運用「間隔式提取」的技巧和抽認卡（flashcards）爲工具，教你如何背大量的英文，而且記得愈來愈深。

我們先拿一疊卡片，每張寫一個英文單詞，反面寫上單詞的意思。

準備四個盒子，分別標爲「一天」「一週」「兩週」「一個月」。

一開始，我們把所有的卡片都放在「一天」的盒子裡。一張張抽出來，看正面的單詞，回想一下意思。如果你答對了，就把卡片放到「一週」的盒子裡。如果你想不起來或是答錯了，就把卡片放回「一天」的盒子裡。

每天都花點時間，從「一天」盒子裡抽出幾張卡片，考考自己。考過的就移到下一個盒子，沒考過的放回「一天」的盒子。

每週一次，也請抽出「一週」盒子裡的卡片，考考自己。答對的就可以移到「兩週」的盒子。答錯或忘記的，則移回「一天」的盒子。

只要你按照盒子上的間隔複習，你會逐漸把「一天」的卡片都移到「一週」、從「一週」到「兩週」、從「兩週」到「一個月」……

當你能夠把卡片都移到「一個月」的盒子之後，對這些單詞的記憶基本上就相當牢固了。這個方法好像感覺很費時，但其實是相當有效的。

你也可以用同樣的方法背成語，或任何繁複的專有名詞列表。

要記得好，要有「必要難度」

教育學有個「必要難度理論」。根據這個理論，任何記憶都分爲兩部分：「儲存能力」和「提取能力」。「儲存能力」就是把訊息儲存進大腦的能力，「提取能力」就是把訊息重新回憶起來的能力。

有趣的地方在於，這兩種能力是呈負關聯的。也就是說，儲存時愈不費

> **儲存與提取呈負相關，儲存時有難度，提取時就比較容易。**

力，提取時就愈困難；儲存時有點難度，那麼提取時就比較容易。

比如，有的同學喜歡做筆記，把老師課堂上講的都記下來，一堂課能滿滿記下半個筆記本。但課後你向他提問，他未必能講出多少。

這種學習是「不過腦子」，也被稱爲「熟練度錯覺」，看似勤奮，其實效果並不好。因爲這些「儲存」對大腦來說輕鬆不費力，所以「提取」時就費力了！

這也是很多我們以爲是好的學習方法，比如劃線、反覆閱讀等，你都做到了，應該很熟練了，但實際上並沒有眞正理解，也沒有掌握。因爲大腦並沒有付出太多的腦力。

「必要難度理論」告訴我們，想讓學習效果更

“考試，是「記憶的提取訓練」，有助增強長期記憶。”

好、記憶效果更好，就要給學習加一點「必要的難度」。

記憶提取訓練

一提到考試，大多數同學都感到頭疼，要複習、要比成績，甚至有面對家長的壓力。但是從掌握知識的角度來說，考試其實是非常好的「提取測試」。

考試使你不得不複習，不得不搜腸刮肚從記憶裡尋找知識點，這恰恰都是增強長期記憶的重要方式。

現在你了解了學習的「必要難度理論」，不妨把測試，看成是「記憶的提取訓練」。它們都是訓練你不斷把訊息提取出來，加強對知識的掌握度。

如果你想成爲學霸，最好的訓練方式，就是在老師的考試之外，平時也給自己安排「記憶的提取訓練」：定期做一些題目、寫一些抽認卡來考自己……

只要你願意花時間「想起來」，就一定能好好「記起來」！

重點思考

- ☑ 大腦是如何記憶的?
- ☑ 艾賓浩斯遺忘曲線是什麼?
- ☑ 點線面記憶法是什麼?
- ☑ 如何使用抽認卡幫助記憶?
- ☑ 間隔式複習和間隔式提取，差別是什麼?
- ☑ 什麼是必要難度理論?
- ☑ 考試、測驗對記憶有什麼好處?

| 第3章 |

筆記力

在讀大學期間，我就有機會出外公開演講。部分原因是我父親是一位作家兼演講家，他爲了「刻意」訓練我的演說能力，會帶我上臺講一些父子之間的故事。

後來我自己寫了幾本書，常常要做宣傳，還有一些公益活動，也需要做一些演講。

我發現人們聽演講的方式，發生了一些變化。最開始會用本子記錄；後來變成相機或筆記型電腦；再後來，手機出現了，有觀衆會直接錄影或錄音。

有次，我在演講結束後，問一位全場錄音的小夥子：「你把演講錄下來，是打算回去再聽一遍嗎？」

他說：「是啊，有很多精采的地方，記錄下來，想聽的時候就打開聽。」

我又問：「那之前你一定錄過很多場了，回聽了多少次？」

他有點尷尬，說好像沒什麼時間聽。

其實這種現象在大學課堂裡很常見，有人會把教授的上課內容全程錄下，回去再整理。我還聽過有一種「人肉打字機」式的同學，能把老師講的幾乎99%的內容，全部即時記錄下來，眞可謂「下筆如有神」了。只是，這種記筆記的方式，從學習方法的角度看，效果並不好。

筆記寫很多？那不一定好！

首先，全程記錄筆記的當下，一定無法同步理解課程內容，而只是把知識從老師的大腦，或課本中，轉移到你的筆記本裡，並沒有進入你自己的大腦。這是對上課時間的低效使用。

而且這種記筆記的方式，會讓人有一種錯覺，就是「我已經把所有內容都記錄下來了，所以我就掌握了所有的內容」，這是一種「熟練性錯覺」。一字不差地記錄筆記，會錯失同步理解課程內容的關鍵時機。

隨著我們的記錄工具愈來愈便利，是否帶來了學習效率的提升呢？答案

**「一字不差地記錄筆記，
會錯失同步理解課程內容的關鍵時機。」**

恐怕是否定的。因爲學習不是記在電腦裡，不是記在筆記本裡，而是要裝到你的大腦裡，當你需要它的時候，能夠輕鬆的提取出來。

科學家做過實驗，讓一群學生用打字記筆記，另一群學生拿紙筆寫筆記，下課後測試兩組學生對課程內容的理解程度。結果呢？手寫筆記的學生無論在概念的理解和運用，或知識點的記憶，都比打字的同學表現得好，雖然打字組的筆記寫得比較多，也比較完整。

你可能想：那是因爲下課之後馬上考啊！如果隔一段時間再複習，那比較完整的筆記就應該占優勢了！學者也如此懷疑，所以他們又做了個實驗，學生們被告知：「我們一週後再考內容，到時候請好好準備！」

結果呢？還是一樣！手寫筆記的學生表現得比打字的學生來得好。這告訴我們什麼？**即便老師讓你在課堂上用電腦，你還是應該用手寫筆記。**

心理學家認爲，可能手寫筆記本身就是一種整理。因爲我們手寫得慢，沒辦法照實記錄，必須挑選重點寫，而這樣的整理，已經在第一時間讓我們掌握了內容。

記筆記，重質不重量。更重要的是，你寫完筆記後做什麼！

記筆記四步驟

我們一般想到的寫筆記，其實只是整個「筆記過程」中的一環。高效學習的筆記法，有四個步驟：

一、寫下筆記

就是我們通常說的寫筆記，大多數的學生就停留在這第一步，認爲寫下就算完成了。但這只是第一步而已！

二、整理筆記

這是在二十四小時內，對筆記做的第一道整理。趁著記憶猶新，把之前寫得比較潦草的地方再做補充，也把任何衍生的靈感和問題都寫下來。

三、提問筆記

什麼？寫完筆記還要做提問？是的，因爲這個過程對學習是很有幫助的！我們在這裡對筆記做進一步的思考：「它的價值是什麼？遵循了什麼原理？和整堂課的關係是什麼？我可以怎麼應用它？」這可以讓你把新知識與之前所學做一個連結，讓這個知識在記憶裡更牢固，未來也更容易活用。

四、複習筆記

如果你前面三個步驟都做得好，那筆記就不只是在紙上，也在你的腦袋裡了。只要在考試前，按照之前整理出來的問題和重點考自己（接下來會介紹方法），就會是很有效的複習了！

康乃爾筆記法

接下來我要教你一個很有效的筆記法，叫「康乃爾筆記法」。它不僅遵循了上述四個階段的原理，它的格式也方便你做日後的複習。

康乃爾筆記法是由康乃爾大學的教育學教授沃爾特・鮑克所發明的，一開始是爲了幫助大學生做學習整理，但許多研究發現它確實能提升學習的效率。現在，我要把這套方法教給你。

Step 1：在紙上畫線。

在筆記本或一張A4紙上，離上側邊緣大約三公分處，畫一條從左到右的橫線。

再來，離下側邊緣大約五公分處，畫一條從左到右的橫線。

最後，離左側邊緣大約六公分處，在之前畫的兩條橫線之間，畫一條垂直線。最上方的位置，叫「主題區」、右側叫「筆記區」、左側叫「提問區」、下方叫「總結區」。

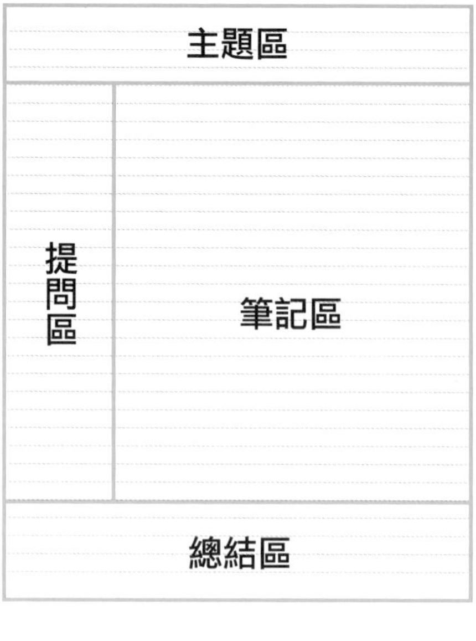

Step 2：把主題寫在上方「主題區」。

也可以寫下講者、日期、地點，和其他重要資訊。

Step 3：（聽課時）在右側「筆記區」寫筆記。

「筆記區」就是你聽課時寫筆記的地方。你可以用任何方法記筆記（包括畫圖），但盡量維持一個原則：簡單扼要。不要把老師說的全都一字一句寫下來，句子要短，可用條列式。有任何新的專有名詞、人事物等，也都記錄在這裡。我建議你行距可以大一些，方便之後整理筆記時做補充。

Step 4：（課後）在左側「提問區」寫下題目。

寫完筆記後，按照筆記的內容，在左側寫下對應的「問題」，彷彿你要考自己一樣。

舉例來說，如果你把這章當作一堂課，在右側筆記的部分，寫下了「高效筆記法」的四個步驟；你在左側的相對位置，就可以寫「高效筆記法的四個步驟是什麼？」

如果你把康乃爾筆記法的介紹寫在右側，你在左側的位置，就可以寫「什麼是康乃爾筆記法？」

這件事最好直接在課後做，最晚不要超過當天。同時，也可以做個整理和補充，把右側較潦草的地方再寫清楚一些。

Step 5：在下方「總結區」寫下筆記總結。

最後，在最底下五公分的空間裡，用幾句話來總結這一整頁的筆記。想像一個沒有來上課的同學，問你「今天老師講了什麼？」你要怎麼用簡單的幾句話，跟他分享這堂課的重點呢？

舉例來說，如果你的筆記是在講「筆記力」這章的內容，可以寫下這樣的總結：

> 筆記不是寫得愈多愈好，重點在於整理。
> 記筆記有四個步驟：寫、整理、提問、複習。
> 用康乃爾筆記法把當下寫的筆記跟問題分開，有助於消化資訊和日後複習。

康乃爾筆記法最困難的，就是整理左側的提問和下方的總結，需要花額外的腦力。但重點是，你花的這個腦力，其實就是在深化學習！這個部分做得愈好，後面複習起來愈輕鬆。雖然好像花了比較多的時間，但整體來看，更有效率！

用康乃爾筆記做複習

到了準備考試的時候了，你要怎麼做複習呢？

很多學生都會習慣把所有的筆記都仔細看一遍，但光是再看一次所有的筆記，對記憶和理解的幫助並不大！如果你按照康乃爾筆記法，就可以用更高效的「主動回憶」方式進行複習——

首先：遮住筆記區

用手或書遮擋住筆記區，只看左邊的提問區。看看自己是否能回答提問區的每一個問題。如果不行，再看右側的筆記。

這不是重複閱讀和記憶，而是要利用你總結提煉的知識線索，從大腦主動提取知識出來。你可以像老師教學生一樣，把知識一五一十的複述出來，也可以在紙上勾勾畫畫。

這會有一些難度，相比直接閱讀複習筆記而言（那可眞是太簡單了，只

“交叉運用康乃爾筆記的區域，進行主動式的提問和回憶，學習效率會大幅提升。”

要看就行了），這可說是一場迷你測驗了！

也正是這種小測驗，逼著自己從大腦裡提取訊息，是你主動做的第二次記憶。這會讓記憶的迴路增強，讓你記得更牢。同時還能檢查出哪些地方被遺忘了，從而查缺補漏，避免「熟練性錯覺」。

其次：思考提問區和總結區的關係

當你已經能夠回答左側提問區的每一個問題了，這時再看總結區的筆記。這時候，看看你是否能理解左側的問題、右側的筆記，和下方的總結之間，有什麼關係？它揭示了哪些現象？與什麼理論相關？可以怎麼應用？與之前所學的知識有哪些聯繫？透過它能再推論出什麼？……等等。

這是更進一步的思維過程，不僅能把知識內化在自己的知識結構裡，更是在培養獨立思考的能力。

當你對筆記內容有一些新的思考和想法，也可以在「總結區」寫下補充，哪怕是有些幼稚的觀點也沒關係，這都是在建設你的知識結構。

從學習效率的角度，複習當然不是快考試了，臨時抱佛腳，集中時間攻克一大堆知識。你必須按照記憶的規律，利用大腦的特點，來掌握知識。

層層深入、鞏固知識

在複習這一環節上，最重要的就是對抗遺忘曲線。在記憶隨時間遞減的同時，透過不斷重新記憶，來加強對知識的儲存和提取能力。

康乃爾筆記的四個區域和五個步驟，可說是層層深入。從記錄筆記，到思考簡化，再到總結，每一次的提煉，都是對知識儲存的進一步鞏固。

更好的是，它還促使你思考知識之間的關係，內化到你的知識結構中，從而更加記憶深刻。可以說，這是目前爲止最優秀的筆記方法了，希望你能夠快速掌握，下次筆記就用上它。而且，你也不用去購買專門的康乃爾筆記本，只要用普通的筆記本畫線就可以了，非常便利。

如果要說它有一丁點「缺點」的話，就是你要對抗自己的「慣性」。康乃爾筆記法需要你主動去做自我測試、提煉和總結，剛開始練起來確實會有一些難度。

但這才是符合學習規律的筆記方法！我們所追求的效果，是把知識內化到自己的大腦裡，能夠隨時取出來用，而不只是記在紙上和電腦裡。你可以從下一次聽課就試試看，我相信你會很快感受到這個技巧的厲害！

重點思考

- ☑ 記筆記的步驟有哪些?
- ☑ 康乃爾筆記法的步驟是什麼?
- ☑ 該在什麼時候進行「提問區」的整理?
- ☑ 如何用康乃爾筆記法複習?

第4章

閱讀力

你身邊有沒有閱讀超快的同學？一本小說，別人要花兩三天啃完，他一個下午就讀完了。去圖書館借書，別人借個一兩本，能讀幾個星期，他一借就是一堆，還能夠提前還，閱讀能力超級高！

不過，當我們談學習中的閱讀能力時，不僅是讀一篇課文、一本小說，還包括讀各種學習資料、中外文的文章、各類參考書籍、各種論文圖表，甚至，考試時的試卷，都是需要閱讀的。

這個時候，閱讀就不只是消遣，而是需要從閱讀材料中，找到你需要的東西。有時還會加上時間的限制，譬如，準備期末考試，或要交報告的時候，都讓你倍感壓力。

閱讀，當然愈快愈好，那表示你大腦處理資訊的速度很快。但同時，閱讀也必須能夠獲得自己需要的關鍵訊息，達成閱讀的目的。絕不能「讀完就算了」。

簡單說，閱讀能力就是，在有限時間裡快速獲取關鍵訊息的能力。像我的大學室友Joe，他就是個閱讀能力超強的人，能夠在一大堆學習資料中，快

> **閱讀能力就是，在有限時間裡快速獲取關鍵訊息的能力。**

速掌握考試的重點，這是他每次考試都能輕鬆通過的原因。

首先，我們要區分，我們是有目的的閱讀，以獲取關鍵訊息；還是消遣性的閱讀，只是打發時間、陶冶情操。前者帶有很強的目的性，而後者往往需要慢下來，細細咀嚼，才能有更好的體驗和收穫。

很多人在閱讀上所犯的第一個錯誤，就是把一般消遣性閱讀的習慣，用在學習的閱讀上。拿到閱讀資料後，就乖乖的翻開第一頁，從第一個字、第一行，按部就班，從頭讀到尾。

雖然很用功，但就學習中，這是偏低效率的閱讀方法，因爲我們需要的關鍵訊息，可能藏在一篇幾千字文章裡的其中幾行；在一本書中，只需要幾個章節的幾段文字。爲了獲取這些少量的關鍵訊息，我們卻花更多時間在不相干的事情上。

所以，我要介紹更加高效的閱讀方法，增強你學習上的能力。

消遣性閱讀	高效學習閱讀
從頭讀到尾	按照脈絡，挑重點讀
在腦袋裡讀出聲音	盡量不讀出聲音
享受文字的韻律和起伏轉折	掌握重點之間的關係
讓內容像畫面一樣依序呈現出來	不斷反問並預判內容
沒有時間限制	給自己時間限制
偏被動的資訊獲取	主動的尋找資訊
可以做為娛樂消遣	很燒腦，最好短時間高專注完成

從以上的表格可以看到，消遣性閱讀與高效學習閱讀有很大的不同。

打個比方，消遣性閱讀就像是去百貨公司逛街。你從一樓開始逛，坐手扶梯到二樓，看看每一個專櫃櫥窗、看看哪一家推出新品、哪一家在打折，如果發現新開的店，還會進去逛逛……

高效閱讀呢？就好比你需要買一條高腰牛仔褲，但爸媽車子臨停在路旁，你必須在十分鐘內買好出來。當你拿著錢衝進百貨公司時，會像平常逛街一樣嗎？

當然不會！你會直接跑去賣牛仔褲的店，找到高腰款，趕緊試穿後去結帳。這叫做「目的性消費」。高效閱讀也是一樣，屬於「目的性閱讀」。

第一步：確認學習目標

在閱讀之前，如果能先知道我們想獲得什麼訊息，那麼在閱讀過程中就更能注意到它們。

心理學家曾經做過一個實驗，發現在閱讀之前，讓學生們先進行一次考試，即使學生對試題一無所知，幾乎考零分。但他們開始正式閱讀時，效果會比不經過考試，直接閱讀的同學好得多。爲什麼？

閱讀之前，先確定你想獲得什麼？
更容易找到目標，掌握重點。

因爲這些試題和犯下的錯誤，會讓學生們在閱讀時，更注意到「需要注意的內容」，讓他們知道哪些是重要的。而且，因爲錯得一塌糊塗，也讓學生們在閱讀時，避免了「熟練性錯覺」——「我看到了，所以我會了」的錯覺，從而更認眞、謹愼。

所以，想提高閱讀力，第一步就是確定你的閱讀目標。**在開始閱讀前，問自己：**

- 我為什麼要閱讀這本書／這篇文章／這些資料？
- 我想從中獲得哪些知識／資訊／方法？
- 我希望透過這次的閱讀，解決什麼疑惑？

確定了這些問題，將大大提高你的閱讀效率。但你怎麼知道要先問自己什麼問題呢？

現在的課本，往往都會把學習重點印在每章課文的最前面！開始看課文之前，最好先預覽這個部分，把這些重點放在腦袋裡，再開始閱讀，你就會知道課文裡什麼最重要了！

第二步：快速瀏覽目錄和標題

一般來說，一本書會有目錄，課本有大綱，內文有大標題、小標題。提高閱讀力的第二步，是先快速的、大致翻看整個閱讀資料，了解整本書或整篇文章的結構。

大部分的讀者看一本書時，都會跳過目錄，甚至跳過每一章開頭的介紹。這就可惜了！**其實光是看目錄，你就可猜出許多書裡的內容。**（註1）

有些書的目錄整理得很好，簡直就是內文的大綱。舉例來說，這是一本教國高中生寫「命題作文」的書（註2），一部分的目錄是這樣的：

第一章　老是離題怎麼辦？

第一課　審題練習

你覺得第一章的內容在講什麼呢？很簡單，就是「作文老是寫一寫就偏離主題了該怎麼辦？」爲什麼會離題？如何才能寫得切題？寫出切題又有深度的作文有什麼技巧與訣竅呢？這些是你在閱讀之前，可以先預設在腦子裡的問題。而第一章裡的四節課，正一步步解決了你預設的問題。

但不是所有的目錄都那麼直接明瞭。如果一本書的目錄很簡短，並未對內文透露什麼訊息，那你就需要翻開書，從大小標題來猜測內容。

試試看：拿一本你沒有看過的書，並找一個看過這本書的朋友。純粹憑著翻目錄和標題，猜測每一章的重點是什麼，讓看過書的朋友告訴你是否猜對了。如果沒有猜對，那實際的重點是什麼？透過這個方法，你可以在很快的時間裡獲取一本書的大意！

第三步：在略讀中快速找答案

在一篇文章裡，並不是所有的資訊都有同等價值。

你之前習慣閱讀的方法，可能就是把文字一路看下來，碰到重點就重讀或留意一下。但「高效閱讀」的概念，**是在開始前先給自己提出學習目標的問題，然後在文章裡根據關鍵詞，快速找到答案。**

你可以先快速翻看內文，捕捉段落中的「關鍵詞」。當你覺得自己看到了重要的部分，就把關鍵詞四周的文字較詳細讀一遍，看看是否能回答你的問題。在閱讀的過程中，你要很清楚意識到自己已經回答了哪些問題、理解

> **了解重點之間的「相互關係」尤其重要，否則就不算是掌握了內容。**

了什麼重點，以及重點之間的關係是什麼。

這個「相互關係」尤其重要。如果你讀完一篇文章，只看了一堆關鍵詞，卻說不出它們之間的關係，那就不算是掌握了內容。

這是需要練習的，因爲跟你的閱讀習慣可能不太一樣，一開始會有點不適應。如果你覺得很難上手，可以從這個方法開始練習：

按照關鍵詞和標題「跳著看」，但稍微放慢速度，同時做筆記，把關鍵詞寫在另一張紙上，然後用心智圖的形式，把這些重點的邏輯關係連起來。

一開始這麼做會感覺很燒腦，也可能因爲沒有讀到每一個字，而心裡感覺不踏實。但只要持續練習、相信自己，你會發現能掌握的資訊愈來愈多，速度也愈來愈快。熟練後，心智圖甚至不用紙筆，就會在閱讀的過程中在腦袋裡自動組織起來了！

第四步：給自己時間限制

假設你有一整天看一本兩百多頁的書，你可以用消遣性的方式慢慢看。但如果今天只有一小時呢？按照一般的閱讀方法，也許只能讀完這本書的10%。但是，如果你用高效閱讀的方法，可以在一小時內「略讀」整本書，而你對內容的掌握，會透過練習而愈來愈高。

許多同學會因爲閱讀量很大，花太多時間複習，把自己搞得著急又疲累。所以，**要成爲高效學習者，就要練習在時間限制下完成需要做的閱讀。**

給自己一個挑戰：先測量需要多少時間讀完一篇文章。然後，把這個時間減半，設法在時間內讀完。讀完之後，立刻回想：這篇文章的架構是什麼？整篇文章的論點是什麼？還有哪些特定的重點？光是回想這個過程，就可以幫助你的學習和記憶。

第五步：練習預判

在消遣性閱讀時，我們幾乎都是在被動的接受訊息。但你有沒有試過，一邊閱讀一邊猜測作者的思路，預測接下來他會寫什麼嗎？

這和在閱讀前先問自己問題是同樣的道理。只不過閱讀過程中的預判，更像是和作者的討論，有時你化身作者，有時化身提問者，有時你還是反對者。

這種討論，並不是停下閱讀去想，而是在潛意識中邊讀邊推進：這個觀點會衍生出什麼？作者說這個故事應該是爲了什麼埋下伏筆？說完這個論點，接下來應該會有個反論點吧……

有句話說：「一篇好文章，反映的是清楚的思路。」當你讀得愈多、愈廣泛，你會開始對各種文體產生「直覺」。而當你能夠快速判斷一篇文章的脈絡，你的閱讀功力就更進步了。

而且你會發現，當你連續閱讀同一種議題的書或文章，會開始注意到知識的重複點。你對一個議題愈來愈熟悉，閱讀速度也會愈來愈快。看到一篇文章，你可能瞄一眼就能預判作者的思路和立場了。

說了那麼多，還是一句話：要練習閱讀的功力，就是要多多閱讀！自然會提升預判的能力，再加上前面所說的幾種技巧，「高效閱讀力」就接近大成了。

如何使用螢光筆？

有些人習慣邊閱讀邊畫重點，把一整本書都畫滿了螢光筆跡，有一種「嗯，我認眞看過了」的成就感。但那眞的有助於學習嗎？

用螢光筆，應該是標示出內文的重點，方便日後複習。但如果重點畫太多，那還算是重點嗎？當課文已經把重點分行列印、加粗體和框線標示出來了，還有不少同學會拿螢光筆再畫一次。是怕自己看不到？

畫重點，是爲了方便在複習時，快速找到我們想要的資訊。所以我的建議是：不需要邊讀邊畫，而是看完了再回頭畫出重點，這樣更精準。

你也可以試試看，用不同顏色的筆來做標記。舉例來說，你可以用黃色螢光筆標示與學習重點有關的論點，用藍筆圈出你特別欣賞的金句，用紅筆在頁邊寫下你對內容的疑問。

要避免把每個看似重要的關鍵詞、數據、句子都畫起來，當太多東西都看起來重要，就很難判斷什麼是眞的重要了。

Part 2：如何加快閱讀速度

前面講的是高效閱讀的策略和方法，第二部分將教你一些基本的速讀技巧，包括一些對眼睛肌肉的訓練。

訓練你的眼睛

我們常有個錯覺，認爲讀得快肯定就是眼睛左右移動得很快。但實際上，**速讀反而是要減少眼睛的移動。**

“略讀，是善用眼睛餘光，略掉前後文字，把眼光放在中間部分。”

在閱讀時，當眼睛從一個字跳到另一個字，都會伴隨著幾毫秒的時間來重新對焦和識別，這不但加重眼球肌肉的負擔，也更加耗時費力。

我們應該善用眼睛的餘光。在閱讀時，略掉每行前後各三到五個字，把眼光放在中間的部分。當我們來回掃視時，眼睛餘光自然會「照顧到」前後文字，並在大腦中進行理解。這樣每行省略掉30％左右的文字，當然會大大提高閱讀速度。

當你眼睛掃描的能力愈來愈好，你會發現不光是略讀某些文字，還能夠略讀某些詞組、詞群，甚至整個句子或段落。

減少眼睛的移動，有兩種方法可以訓練，一是用指讀的方式，讓眼睛減少干擾，更加平穩移動。即在閱讀時，用手指來做指引，手指滑到哪裡，眼睛就注意到哪裡。研究證明，**在手指的指引下，眼睛移動得更加精準而穩定，非常有利於快速閱讀。**

第二種方法，就是善用眼睛的餘光。當餘光能夠覆蓋更多內容，就意味著需要移動眼睛的區域更小，閱讀速度也更快。

鍛鍊眼睛肌肉的方法

我們的視覺分爲中央視覺和周邊視覺。中央視覺就是你正在注視的區域，而周邊視覺就是這個區域之外的區域。想要鍛鍊周邊視覺，就要讓你的眼睛肌肉更強壯和靈活，讓視野變得更廣。

有一個鍛鍊方法，可以有效刺激到控制眼球的肌肉。

將你的雙臂在體側平舉，與肩同高，然後把大拇指翹起來，指向天空。

在頭部不轉動的前提下，讓你的眼睛盡量去看右邊大拇指的方向，然後再看左邊大拇指的方向。這個方法可以有效鍛鍊眼球肌肉，每天都可以練習幾遍。這也是放鬆眼睛的好方法，在你讀書累了的時候進行練習。

停止默讀

我們小時候學語文，老師會要求開口朗讀，這多少讓人養成即使不開口，也會在心中默讀的習慣。而這大大減緩閱讀的速度。人說話的速度，一般在一分鐘兩百字左右，而用眼睛和大腦閱讀，速度可達到每分鐘上千字，甚至幾千字。

所以**如果你要讀得快，首先就要停止默讀。不要讓文字在腦海裡發出聲音。**這需要練習。你可以限定一個短時間，必須讀完一定量的內容，使自己根本沒有時間來默讀。多多練習之後，默讀的習慣就會削弱。

不要回跳

有時候我們讀著讀著，突然感覺前面有個地方沒看仔細，於是回頭去找。這就是回跳。

回跳會中斷你的閱讀進程，影響閱讀的進度。而你回跳去看的內容，往往並不重要，只是「有個地方沒看清楚」，心理上想要弄清楚。在大腦的理解層面，這種回跳並沒有太大意義。

刻意訓練自己不要回跳，忍住往前翻的衝動繼續閱讀，看看是否會影響理解。你很可能發現回跳只是一種衝動，其實繼續往下看，還是可以理解完整的意思。但如果你發現自己不斷地回跳是因爲恍神，雖然眼睛有看，但沒有眞正「看進腦袋裡」，那建議你先停下來休息一下，給自己做一下頭部按摩。你可能已經累了才會恍神，這時候再逼自己一定要完成閱讀，效果會差。不如先休息五分鐘，動動身體、喝杯水再繼續。

現在你知道高效閱讀的技巧了，我們來綜合一下，讓它成爲一個「高效學習閱讀ＳＯＰ」。

總結：高效學習閱讀SOP

第一步，預覽主題

不要拿起書就從第一個字看，先瀏覽全書的重點架構，了解大致內容。

包括目錄，大標題、小標題、前言、摘要等等，但不要看具體內容。如果老師給了閱讀指導或作業，也要納入預覽的範圍，了解學習的目標。

現在我們常常透過網路學習，也可以用這個方法，來快速判斷網站上的內容是否是你需要的。看它的標題、關鍵字、重點區域、圖片等等，如果不是你需要的，就可以關掉，避免浪費時間。

第二步，先提問

在正式閱讀之前，明確自己的閱讀目標，透過問自己問題，來提高閱讀效率。比如第一步你總覽的標題、摘要、架構等等，都可以轉換爲問題來發問。

如果老師在給你閱讀資料時交代了作業，或你總覽時，看到每章後面有思考題，你都可以把它們作爲發問的問題。當你帶著這些問題去閱讀，對於資料的消化吸收會更有效率。

第三步，主動性閱讀

根據學習計畫，給自己設一個合理的時間限制，透過閱讀去尋找在第二步所提問題的答案。過程中，你可以在紙上或腦袋裡開始組織心智圖，也可以快速標記特別重要的段落，或寫下自己的疑問。最重要的就是確保自己能透過這次閱讀，回答學習目標所設定的問題。這樣在第四步的時候，你就有了一個很好的基礎。

第四步，馬上回憶

讀完一個章節，或全部讀完後，闔上書，開始回想內容，以及內容之間的關聯和重點。你可以針對第二步列出的問題清單，看看能回憶出多少？如果想不起來，就去原文中找答案，直到弄明白爲止。如果發現自己記得的不多，也不要沮喪。回去找到答案後，用筆標記一下，然後重複這一步。只要最後把重點都搞懂就好了！

古人云，「讀書破萬卷，下筆如有神」。在古代，閱讀夠多的書，掌握夠多的知識，就能在創作時如有神助，脫穎而出！今天我們可能不僅要「破萬卷」，還要破「十萬卷、百萬卷」，因為訊息每天都以指數級速度在增長，很多知識也在飛速的迭代。閱讀絕不是從頭到尾細細讀，那很可能把寶貴的時間浪費在低價值的內容上。

有好的閱讀方法，形成好的閱讀習慣，才能在知識的海洋中，快速獲得我們想要的訊息，增長我們的知識、經驗和見解。閱讀能力，是學習力的基本功，而一個人閱讀能力的高低，是個人學習競爭力的重要基石！

讀完這一章，就開始訓練自己的閱讀力吧！

重點思考

- ☑ 消遣性閱讀和高效學習閱讀有什麼差別?
- ☑ 想提高閱讀效力，第一步是什麼?
- ☑ 一本書的目錄和標題有什麼作用?
- ☑ 如何訓練自己略讀?
- ☑ 每天練習兩次鍛鍊眼球肌肉的方法。
- ☑ 你正要開始讀一篇文章嗎?試著以「高效閱讀SOP」來執行。

註1：這個方法適用於「知識性」的書；小說、故事集等，還是比較適合用「消遣性」的方式閱讀。

註2：目錄摘自《看故事，學寫作2：技巧篇》（未來出版）一書。

第5章

複習力

一提到要考試，很多同學都會心中一緊，如臨大敵！沒錯，作爲檢測學習成果的工具，它意味著要把你是努力還是偷懶、眞了解還是假明白，都用一個分數彰顯出來。

考試，其實就是檢查你對知識的理解掌握程度，正如前幾章講過的，它是對訊息提取能力的一種測試。我們從小學到大學，即便進入了職場，也還有技能考試、職業考試。所以，我們在心理上不要和考試作對，那會導致你的逆反情緒。

我們要做的，是如何用「符合考試」的方式，來應對考試，考出一個好成績。

我在哈佛讀書時，學校裡有個和考試相關的百年傳統。每到學期末，期末考試之前約七到十天，學校會讓我們放個「假」，叫做Reading Period，簡單翻譯就叫「溫書假」吧。

這一週多的時間不需上課，學生自己複習功課，準備考試。學校這麼安排，是爲了讓學生有足夠的時間把這學期的功課吃透，考出個好成績。

但眞實情況是怎麼樣？

歡樂溫書假

「溫書假」一開始，所有人都撒了歡！學生宿舍裡到處都是各種各樣的派對，整個校園鬧哄哄的，根本沒幾個人在讀書！

這種狀況一直持續到最後三天，突然，學校變得異常安靜！所有圖書館整晚燈火通明，學生開始拚死拚活的複習。即便是學霸，也開始手忙腳亂了！

經過三天沒日沒夜的奮鬥，到了期末考正式開始的前一天晚上，凌晨十二點那一刻，學校宿舍所有的窗戶都會打開，大家把頭伸出去，開始對著校園放聲大喊！這一夜也是哈佛的新生傳統，叫做「原始吶喊」(Primal Scream)。

更誇張的是，還有很多同學會脫下衣服，光著上身，在校園裡跑來跑去！如果是冬天，意味著室外是零度以下，那一幕眞是很誇張！

但爲什麼這些哈佛的學霸們，在面臨考試的時候，也和大多數人一樣，要到最後幾天才開始準備複習呢？這裡面有什麼玄機？讓我先賣個關子，後面你就會明白。

關於如何複習，在前面幾章中偶有提及，但還有什麼重要技巧嗎？

在考試之前，一整個學期的資料在面前，彷彿進入了知識的倉庫。如果我們把複習看做是一場旅行——知識的旅行，在複習之前，必須要知道哪些是重要的、值得去的地標。知道哪些是重點，要優先複習，才能更有效地去準備。

在這裡，我介紹兩個簡單的方法。說簡單，但你不要小看它們，因爲大部分人都不會呢！

先看目錄，內藏重點

> **考試，一定考主幹知識，**
> **而不是小道消息。**

首先，學會看綱要或目錄。

我所認識的年輕人裡，非常少人會看目錄，就連我自己之前也是會跳過。但是，眞正的學霸會非常仔細的研究目錄，比如我的室友Joe。

一個課本的目錄，尤其是教科書，概括了每一章的重點。課本裡滿滿都是知識，看上去全都很重要。但你可以蠻確定的是，**凡列在課本目錄上的關鍵詞，絕對是最重要的。**

所以在複習時，你要先看目錄！光看目錄，就已經能知道學習的重點是什麼。它們往往也是考試的主幹題目來源——考試一定考主幹知識，而不是小道消息！所以，理解目錄，先把它們搞定，多花點時間在上面，準備複習的目標性和效率都會大大提高。

第二，學會問老師。當你看完課綱、目錄後，如果還不清楚，問老師是最快的方法了。但該如何問問題呢？來參考以下的問句：

問句一：「老師，請問這次的期末考，範圍是什麼？」

老師：「既然是期末考，就是我們這學期所有學到的部分啊！」

嗯……那好像幫助不大！如果你想要更有價值的訊息，該怎麼問呢？

問句二：「老師，請問這學期的課程中，課綱希望我們理解與學習的重點是什麼？」

聽起來跟上一句差不多，但其實有很大的差別。因爲老師們是按照教育部制定的課綱來教學，我們以爲老師只是照著課本講課，其實教學內容裡，包含了教材制定者希望我們掌握的知識，老師只是用自己的方式教導給學生。

所以當你這樣問，老師就較可能會告訴你這學期最核心的部分有哪些。

當你知道這一學期什麼是重點，哪些是主幹，其他細碎的知識才有辦法掛上去。如果你腦袋裡沒有主幹，就像進入一座陌生的城市，沒有地圖，也沒有指南針，就只能走走看，碰運氣了。

複習也是一樣，如果不知道重點是什麼，只是打開書，看到一大堆字，一大堆概念，就容易陷入背了忘、忘了背的境地。陷入無邊無際的痛苦複習中……

測試路徑，找到盲區

當你明確了複習的重點，接下來要先檢查這些重點裡，哪些是自己已經掌握的，哪些是模模糊糊的，哪些是看上去像天書，完全不懂的。

你必須先知道自己懂什麼、不懂什麼，才好制定複習計畫和時間。常用的檢查方法有幾種：

1. 假如你使用了康乃爾筆記，可以用它的提問區回憶相關的知識內容。

如果有記不起來的，再去看筆記區，或回到課本上找出答案。先用這種方式篩查一遍。

2. 你也可以用心智圖的方式，根據目錄裡的重點，把與之相聯繫的知識點、概念等等，畫成一張大的心智圖。這其中一定有想不起來的地方，那就是你要去複習的。

3. 你還可以用重新講述的方法，來檢查每個重點。如果不能表達出來，就說明你在這上面有知識盲點。重新講述有兩個常用的方法，一個是「詳細提問法」，一個是「費曼學習法」，我在本章後面再介紹。

4. 考試也是一種檢測方法。你可以找出過去的真題，或書本上的課後練習題等，來檢測自己的學習程度。當你做了一遍檢測，就知道哪些是你需要加強複習的。而且，檢測本身也是一種訊息的提取，它會大大鞏固你所學習的知識，更加長期記憶化。

知道了複習重點，了解到自己哪些還沒掌握好，接下來，就要制定複習計畫了。這涉及時間的管理，特別是臨近考試，沒有太多時間來複習；但與此同時，又好像還有時間做點別的——吃個零食、看個影片、滑個手機。你一開始並沒有把「認眞」二字放在心上，這兒翻翻、那兒看看，直到你遭遇了「帕金森定律」。

「帕金森定律」又叫「雞毛蒜皮定律」是由一位英國歷史學家諾斯古德·帕金森所提出的。他根據多年的觀察，發現工作中極易出現一種情況：如果你分配一項任務，要求兩小時內做完，做事的人會拚死拚活想辦法在兩小時內完成。但如果你給他兩個禮拜呢？他也會用足兩個禮拜來完成同一件事。

爲什麼？因爲當時間拉長了，就有許多的雞毛蒜皮、不重要的事情插進來。於是，看似忙碌實則低效的「帕金森定律」，開始運轉了。

現在，你知道哈佛學生爲什麼在「溫書假」開始時悠哉游哉，最後卻要熬夜來準備考試了。大家都難逃「帕金森定律」。

> **花10%的時間預先做規劃，**
> **將大幅提升其餘90%的時間效率。**

所以，**當你開始制定複習計畫時，一定要對自己狠一點，給自己安排少一點時間，反而能提高效率。**

效率大師博恩・崔西說：「如果你開始工作前，能夠花10％的時間先做規劃，將大幅提升其餘90％的時間效率。」我非常相信這一點。

我的室友Joe，在準備期末考試前，也和我一樣焦慮，但他會先坐下來規劃自己的複習計畫。

他說：「這一門課，我要花四個小時來準備。」

我很驚訝：「我要準備三天！而你只需要四小時？」

「其實三天裡，你會浪費大部分的時間，因爲你可能專心一個半小時後，就失去效率了。而我只要花三個小時就可以辦到！」

原來，Joe 是這樣安排他的時間——

首先，每一個小時他會先給自己一個學習重點和目標：這個小時我要學到的是什麼？是哪一個章節的概念？

然後他會先測試自己對內容了解多少。如果整個學期都好好上課，好好做筆記整理，其實已經有基本概念了。他先花一段時間看看自己能否清楚解釋所有重要的概念。如果可以的話，就在那部分少花一點時間。如果卡住了，就回到課本去查資料。

測試完後，他再回去把特殊的名詞或細節圈起來。這對大學生來說尤其重要，因爲大學考試多半是概念的架構，較少單純記憶微小知識——對我們來說，所有的知識都必須掛在更高層的觀念架構上。

接著，他會研究過去的眞題。每年的考題雖然不一樣，但是核心概念卻大同小異。只要找到以前的考古題，快速復盤，就能迅速掌握考試。這一點非常有效。

就是這麼簡單！切割出六十或九十分鐘爲一個時間單位，然後快速的進行以上的步驟。每個小時過去後，再重新檢視有沒有達成目標？如果沒有達成，怎麼樣重新分配時間？如此一來，Joe就複習得又快又有效果。

檢測自己掌握多少知識，是整個複習計畫中很重要的部分。爲了避免犯「熟練性錯覺」，當你檢測自己時，就要眞的檢測，不能馬虎。「詳細提問法」和「費曼學習法」可以幫助你檢視自己，找出複習重點。

詳細提問法

「詳細提問法」通常是從一個問題或一個概念出發，延伸到另一個相關問題，層層深入，最後變成一個有邏輯、有秩序的知識框架。

這有點像我們小時候追問父母各種問題，爲什麼會下雨？爲什麼下雨會打雷？爲什麼打雷時會有閃電？……一路打破砂鍋問到底，把被動的知識輸

“詳細提問法，就是把被動的知識輸入，轉變為主動追問。”

入，轉變爲主動追問。

優點在於我們能以自己的邏輯將知識貫穿起來，並符合我們認知事物的規律，同時，還能迅速找出自己的知識盲區。

比如，我們要複習二十世紀三〇年代的經濟大蕭條，就可以從這個問題開始：是什麼造成了經濟大蕭條？我們能找到幾個關鍵事件，如一九二九年股市崩盤、幾千家銀行倒閉、歐洲的高進口稅、農業旱災爆發……等。

接下來，我們繼續追問，爲什麼那時會發生股市崩盤？我們找到的答案有：因爲保證金的銷售、英國股市下跌、投機買賣市場失控，以及鋼鐵行業可疑的商業活動等。這一切導致了股市崩盤。

接下來，我們繼續追問，什麼是保證金銷售？爲什麼保證金銷售出現了問題？這樣一直追問下去。在過程中，遇到任何卡住的地方，就是你的知識盲點，就要去找資料來解答。

當回答完所有問題後，你不僅對整個經濟大蕭條有了宏觀的認識，對每個環節所發生的關鍵事件、重要的節點、發揮作用的因素，都有了非常清晰的認識。而且這些認識是以一個完整的邏輯貫穿的。

「詳細提問法」幾乎可以用於各領域知識的學習。你也可以搭配心智圖，以視覺的方式，更清楚看到知識是如何結構在一起的，從而更容易記憶和掌握。

費曼學習法

「費曼學習法」又叫「費曼技巧」，它是由著名物理學家、諾貝爾獎得主理查·費曼提出的，分爲四個步驟：

一、選擇一個你要學習的知識，或某個概念。

二、設想，如果你要把這個知識教別人，你會怎麼講？在這一步，請不要背誦或複述課本上的書面語言，而是要用你自己的語言來講。你可以想像你正面對一個初學者，要怎樣照顧到他的理解能力，同時把知識講清楚？

三、在講解的過程中，你不可避免的會遇到自己不懂的地方，這就是你需要去重新翻書、重新學習的。直到能夠流暢的把知識講清楚爲止。

四、完成以上三個步驟後，把這個知識用你自己的語言，全面的整理出來。盡量簡化和條理化，最好是沒有複製任何書面上的東西，而是你自己原創的講述邏輯。

至此，你就完全掌握了這個知識。如果你想更挑戰自己，也可以用書寫的方式來進行，就像老師在備課一樣，整理出有條理、有重點的文字，成爲教學腳本。

如果你有幾個學習同伴，更容易有眞實的反饋。你們可以各自複習不同的課程，有人複習歷史、有人複習物理，然後約定好，每隔多久，拿出幾分鐘時間，相互向對方講解自己學習的東西。

學習小組

我在高中和大學時期，「學習小組」是一種常用的學習方式。我在哈佛念心理系時，必須認識許多偉大的心理學家們，並了解他們的主張。而每個心理學者都有不同的門派和思想，很容易搞混。我們如何快速入門呢？

我和同學用了角色扮演的方式，每個人扮演一個心理學者，先把這學者的概念搞清楚，然後站出來跟彼此對話。我們發現這樣的學習非常生動，效果非常好！

甚至可以拿出一個議題來，讓不同的門派以他們各自的角度來討論，就會有特別生動、立體的理解，不再是乾巴巴的讀書、背概念、做筆記。

我高中時，歷史課讀到美國近代史上非常重要的越南戰爭。一九六〇年代有許多反戰的年輕人，穿著花色的衣服，也就是所謂的嬉皮。站在年輕人的角度，我們自然比較容易認同他們。

老師當時使用了不同的上課方式。他將班上的學生分成兩半，一半扮演

> **教育，是一場對話與思辨。**

美國政府，另一半扮演反戰人士，讓兩邊進行一場辯論。

在辯論過程裡，你會發現兩邊都有道理，從各自的角度去考量，都是對的！兩邊也都做了不得已的決定，任何一方都沒有絕對的對錯。

後來再去讀歷史資料時，就能用更全面的角度去看待，這段歷史也變得更鮮明生動。其實，在古老的時代，蘇格拉底、亞里士多德，或孔子的私塾，教育的過程都是一場對話與思辨。

到了近代，有了教育大課堂的概念。一個老師同時對很多學生，老師單向講課，學生單向吸收，老師負責測驗。我覺得這不是學習的最好方式。**我們應當透過對話，運用各種「主動、靈活」的方法來理解知識。**否則，知識很容易變成一些「只用於考試」的東西，變成一些名詞、公式、概念，孤零零存在於你的印象中，只是證明你曾經拿出時間學過它們而已。

總而言之，**高效學習力的核心觀念，就是多與知識進行互動**。不要浪費時間把所有的書和筆記都重看一遍。靠「主動回憶」來考自己，再去補齊自己所遺忘和不理解的，你不但會記得更多，還會理解更深！

重點思考

- ☑ 目錄、綱要有什麼重要性？
- ☑ 如何知道自己的盲區在哪裡？
- ☑ 帕金森定律是什麼？如何提高效率？
- ☑ 詳細提問法是什麼？
- ☑ 費曼學習法是什麼？

第6章

拖延症

大多數人都有拖延的毛病，我也不例外。

記得最嚴重的拖延，就發生在我上高中的時候。課業非常多，活動也多，有時是眞的忙不過來。而有時，是擔心做的東西不夠好，心理上有了一些狀況，表現爲明明知道應該做，卻不想動手，直到火燒屁股了，才匆匆忙忙去做。

相較我那個年代的學生，現在學生的拖延症恐怕更嚴重。爲什麼呢？因爲手機。只要用手指點點點、滑滑滑，就能觀看全世界的趣事，學習太容易被打斷了。於是該做的事情被延後，安排好的時間被打亂，學習計畫也變得不可靠了。

想像這種情形：要放暑假了，老師交代了作業，「同學們，在這兩個月的假期裡，我希望大家能交三本書的讀書心得。」

你心裡盤算：「兩個月，時間太充足了。我一個星期就能看一本書，週末就寫心得，三週就可以做完，剩下時間就全是我的了。」

理想很美好，但現實呢？

第一天，你翻了幾頁，想到遊戲還沒通關，於是扔下書，打遊戲去了。
第二天，拿出書，媽媽走進房間，讓你陪她去逛街，你扔下書出門了。
第三天，同學約你去打球，很累，明天再說。
第五天，
第十二天……
一個月過去了，第一本書只讀了三分之一。不過，還有一個月不是嗎？
直到……最後一週，你發現第一本書還沒讀完。這時，你才有點慌了。
於是，你開始整天讀書，熬了幾個夜，才終於在最後一天，把三個讀書報告做完。至於質量，自然是不敢恭維。

「及時行樂猴」來搗蛋

這種拖延的狀況，你一定不陌生。回想起來，彷彿每當我們想要學習時，身邊就會有小惡魔過來誘惑：去玩吧，去睡覺吧，待會再做吧，時間很多啦，不著急呀……

於是，你被蠱惑了，然後就火燒屁股了。

爲什麼我們這麼禁不住誘惑呢？是否意志力不夠堅定？想要打敗拖延的毛病，我們必須理解，爲什麼會拖延。

以下，我就要跟你介紹拖延症的四個主要「心理因素」，讓你認識這個難纏的敵人。而且，我要教你如何對付他！

心理因素一：課業實在痛苦，娛樂的誘惑太難抵抗

課業容易讓人覺得枯燥乏味，而我們的大腦崇尚享樂主義，所以有好玩的事情，當然想去做。科學家給我們大腦的這個特質，取了個名字叫「及時行樂猴」。爲什麼有這俏皮名稱呢？這要溯及到我們遙遠祖先的原始大腦。

當祖先們還在樹上爬來爬去時，爲了維持最基本的「生存」，他們能吃就吃、能睡就睡、能交配就趕快交配。因爲不這麼做，下一秒可能就碰到天

> 及時行樂，
> 源自祖先的原始大腦。

敵，或意外而死亡。

但如今，我們已經離開叢林，進化爲文明的人類，在安逸的環境中不太會有立即的生命危險。但某部分還是像猴子一樣，傾向去做開心的事，逃避痛苦無聊，或覺得沒有意義的事。

及時行樂猴一直存在於我們大腦的邊緣系統，推動著我們「及時行樂」。平常精神好的時候，我們也許可以對抗它。但精神不好、誘惑太多時，就容易栽在猴子手上。怎麼辦才好呢？

對策一：訓練「及時行樂猴」

坦白說，如果沒有及時行樂猴，我們的人生將會非常枯躁。每個人都必須平衡自己的生活，同時是書蟲，也是玩家。既然我們不能否認它的存在，就把自己設爲及時行樂猴的訓練師吧！

能夠和及時行樂猴抗衡的，是大腦的前額葉皮質。它會抑制我們的動物本性，告訴我們未來的計畫更重要，爲了將來，很多事現在必須捨棄。

訓練及時行樂猴，要先找到抑制它的方法。每次當我們要做一件事情，猴子跳出來誘惑你，要怎麼跟它溝通？

你可以說：「猴子！我先給你一個挑戰。」

這時你要有很明確的目標，例如：「接下來我要背三十個英文單字，給我半個小時，不要吵我。如果我能背超過二十五個以上的話，我就買一小盒我最喜歡的巧克力冰淇淋來犒賞你。」

這段對話中有三個要點：

1.明確的挑戰目標

比如要完成一段論文，要寫多少字？而且要在兩個小時之內完成。你需要明確的時間和規則，猴子最擅長在「模稜兩可」的狀態下，跳出來幫你決定：「看來，我們還是去打遊戲好了。」

同時，請一定要對猴子信守諾言，不要食言。如果你沒有依約定犒賞自己，你的潛意識就會開始作祟，開始不相信自己。之後猴子可能會心態不平衡，而不聽話了。

2.目標要有足夠的挑戰性

對你來說，如果平常半小時能背三十個單字，那就給自己設更高的目標，每次提高10%。你可以不斷向上調整難度，增加挑戰性，猴子才會把它當眞。

3.獎勵要設定時間和規則

對於獎勵，也要明定規範。尤其是容易上癮，或失去時間的事情，得仔細考慮。例如，犒賞自己休息時打一場遊戲，卻沒辦法遵守「十五分鐘結束」的限制，那就不要設這個獎勵。

心理因素二：完美主義，眼高手低

當你收到一個任務，完美主義者通常會幻想如何將它做到盡善盡美，但同時也伴隨著「萬一做不到怎麼辦」的恐懼。因爲理想中的成品太美好了，自己八成做不到，所以就會開始「逃避式的拖延」，暫時「眼不見爲淨」。我以前的拖延症，大部分就是源自於此。

當你再想起這件事時，剩下的時間更少了，你也變得更加焦慮。既然美好的成品更加遙遠，不如繼續拖延吧！

對策二：啟動想像力

想要對抗完美主義，就必須坐上時光機器，把自己送到未來。

假設你要交一篇作文，你的腦袋裡已經有想法，甚至可以預見自己的作品得到A++，老師會在評語欄裡寫著：「架構完整、文情並茂！」你想像著這樣的美好，也同時存在著恐懼。我們害怕自己達不到那完美的程度，所以開始創造各式各樣的方法來拖延。

這個時候，你就要調整思維方式。

同樣碰到任務，我們不需要把它想像成完美的，只要想像能做得不錯，或是「這一次會比上次更好」就行了。然後把自己放到截止日的那天，想像自己沒有準備的狀況。

我經常做線上直播講座，我會想像自己已經在鏡頭前，卻完全沒有準備。天啊！你的汗不斷冒出來，眞是非常糟糕的感覺。閉上眼，充分去想像這個感覺，這就是拖延的後果。

無論你是要交報告、考試，或上臺演講，你開始想像未來沒有完成的糟糕感覺，當感覺湧上時，立刻張開眼睛，運用這感覺開始行動。

請一定記住這句話：「完成比完美更好！」Done is better than perfect!

> 完成比完美更好！
> Done is better than perfect!

馬克・祖克柏創立了全球近四分之一人口都在使用的Facebook。在公司的草創時期，祖克柏每天要完成的事、做出的決策，絕對超出一般人的想像。在講求效率的時刻，沒有那麼多時間去把每件事斟酌到盡善盡美。而這句貼在Facebook總部牆上的句子——「完成比完美更好」，也能幫助我們回應內心的完美主義者。

如果你發現自己開始拖延，缺乏動力，並進入負面思考的漩渦，試著告訴自己這句話，並付諸實踐。

心理因素三：事情太多，時間不夠

話說「能者多勞」，而你就是個不折不扣的能者，總是有太多事要處理了！除了學校的課業、課後的社團、自己的興趣，連家人也有所要求，希望你可以分攤家務、照顧弟妹。太多事分散了原本可以好好完成事情的時間，導致時間永遠不夠用。

其實，我們每個人都是自己最大的敵人。面對那麼多的狀況，你必須學會如何分配時間。

對策三：「艾森豪矩陣」來助陣

每天面對大大小小的事情得做，該怎麼分配呢？讓我教你一個技巧，據說源自於美國前總統艾森豪將軍，所以稱爲「艾森豪矩陣」。

請拿一張A4大小的紙，將紙對摺再對摺，變成四等分，寫上「緊急」「不緊急」「重要」「不重要」，這樣就有四種不同的類別，然後把所有待辦事項分到這四個類別中：

急又重要：盡快做

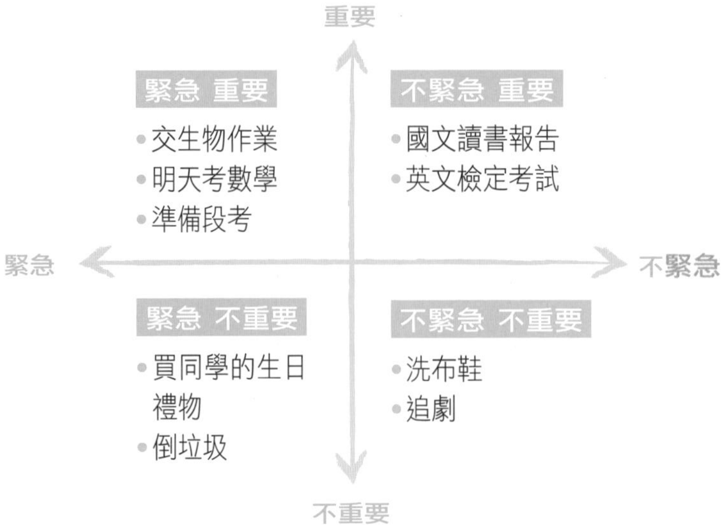

比如今天要做完的作業、預習明天的課程，這都是緊急又重要的，需要立刻執行。

不緊急但重要：規劃時間做

通常是比較長期的計畫，比如，要讀完本學期的閱讀書目，寫一篇重要的期末報告等。這些都是短時間做不完，需要消耗一定時間和精力，但是非常重要。所以我們必須列好計畫，並安排進日程裡，該做的時候就要做。

緊急但不重要：交給別人做

比如要給老師送一份文件、幫同學

找一個資料、參加社團活動。雖然這些事挺緊迫的，但不是非得由我來執行，你可以選擇找別人幫你做這件事。

不緊急又不重要：乾脆不要做

不熟的朋友約踢球？舊布鞋還沒洗？朋友丟在你書包裡，說看了一定會睡不著的恐怖小說？有些事感覺有趣，或時間充裕時可選來做，但當你把這些事情都列下來，會發現在有限的時間裡，不要去做，才能留時間完成需要做的，以及真正想做的事情。

運用這樣的方式分類，可以幫助你找到什麼事才是你真正要花時間去做的。如果你能從學生時期就培養這個習慣，對你個人在時間規劃上會有很大的幫助。

話說人算不如天算、計畫永遠趕不上變化。我們總會高估自己的做事效率，也容易認爲事情會順利抵達終點。但「計畫永遠趕不上變化」，實際的狀況總是坑坑巴巴，會碰到老天爺丟來的各種干擾球。

每次當你坐下來，捲起袖子想要好好做功課的時候，偏偏簡訊來了！

「我跟爸媽吵架了！好難過！」

「我們要去看電影，你一定要來！」

「有個大八卦，趕緊上網去看啊！」

諸如此類，讓你防不勝防，大嘆「爲什麼每次計畫都沒辦法順利進行啊」？

對策四：制定計畫有一套

我們不知道老天爺接下來會安排什麼事情過來，但我們起碼知道遇到干擾時，可以用什麼原則來應對。我想和各位分享三個心理學的理論，它們對我而言是非常有效的。

•定時定量的單純計畫

人是慣性的動物，如果你每天起床都會刷牙，有一天你起床沒刷牙，就會覺得不對勁，好像少做了什麼。很多時候我們會分心和拖延，就是因為不知道接下來要做什麼，這時，及時行樂猴就跳出來嘰嘰喳喳，我們就被它帶離本來的計畫了。

如果我們能建立起「每天定時去做某一件事情」，比如，每天晚上七點要讀二十頁英文書。不出幾天，你的大腦和身體就會習慣這樣的狀態，被干擾的可能性就變少了。

•生吞青蛙

當然不是讓大家眞的去吞青蛙！這個說法源自於美國作家馬克·吐溫。富有幽默感的他曾說：「如果你每天早上起來就生吞一隻青蛙，那麼你的一天一定會很順利。因爲你在一天的開始就已經做了最難受最痛苦的一件事，所以接下來只會愈來愈好。」

這個概念是什麼？對大多數人而言，在起床的三十分鐘到一個半小時內，是精神與專注力最好的時候。應該好好利用這個時間，去完成自己覺得最困難的一件事。

我試過這方法，而那一天眞的變得無比美好。因爲你從第一刻起，就已經戰勝了自己。雖然只是做了一小部分，但戰勝的感覺，會使你接下來能做更多的事。

我每天早上有一段固定的寫作時間。久而久之，每到那個時間，我就必須坐下來寫作。當這成爲我生活的習慣時，就發現它愈來愈容易。身邊的人會知道，這個時間我在書房寫作，於是這段時間不會來打擾我。

• 製造懸念的「柴加尼效應」

這是一個很奇妙的效應。據說大文豪海明威寫作告一段落之際，他會寫

在一天的開始先做最困難的事，
接下來的一天只會愈來愈好。

一個句子，但不會寫完，只寫一半，然後就暫停了當天的進度。爲什麼？因爲寫到一半是他爲自己設計的懸念。

人的大腦非常奇妙，如果有懸念掛在心上，它會一直潛伏在你的腦中，讓你想要去完成它。

當海明威第二天回到打字機前時，看到那句寫了一半的句子，會忍不住去把那個句子完成。於是順利進入寫作狀態，之後也會有動力和專注力繼續下去。這就是所謂的「柴加尼效應」。

很多劇集在一集結束時，會製造一個懸念。這個壞蛋最後會不會得到懲罰？好人會不會得救？這類懸念讓你迫不及待想要繼續看下一集。

你可以同時利用這三種方法來幫助自己，實踐定時定量的單純計畫，早上先生吞青蛙，並利用柴加尼效應。雖然我介紹了許多技巧與方法，但你必須親自實踐，並且鍛鍊自己養成習慣。

拖延的問題多半是長期養成的習慣。即便我們的理智大腦知道這不對，但感性大腦卻不這麼想。唯一能改變它的，就是不斷讓它看到成效。

唯有「經驗」能夠改造你！所以，你必須製造很多戰勝拖延症的經驗，向自己的潛意識證明：「我可以的！我是一個按部就班，不拖延的人。我相信你，你也要相信自己。」

思考與行動

- ☑ 人為什麼會拖延?主要心理因素是什麼?
- ☑ 你的拖延症是哪一種心理?
- ☑ 如何訓練「及時行樂猴」?
- ☑ 對抗完美主義、眼高手低,有什麼對策?
- ☑ 什麼是「艾森豪矩陣圖」?
- ☑ 制定計畫有什麼訣竅?
- ☑ 什麼是「柴加尼效應」?

第7章
專注力

你覺得在學習上保持專注力，難不難？有時候難，有時候不難，對吧？我們在學習開始時，專注力會比較集中；一段時間之後，就開始走神，各種思緒也飄到腦子裡，讓你無法集中注意力。

也有一種情況，是你從一開始就沒法保持專注力。那可能是你不喜歡或不擅長的一門課，於是你心裡有點排斥；相反，假如是你喜歡的課，就比較能保持長時間的專注。

一個人的專注力和很多因素有關，比如你的精神、情緒，專注力本身也有範圍和時長的變化。**所以，專注力絕不是單一的能力，我們在訓練自己的專注力時，不能只把目標放在專注力本身，也要放在影響專注力的因素上。**

比如，人們認爲專注力受意志力影響巨大，意志力堅強的人，往往擁有強大的專注力。但其實，意志力和專注力的關聯不大，「及時行樂猴」是影響專注力的一個大要素，但我們並非通過提高意志力來抑制它，而是通過心態的調整和它和平相處。

所以，我會講解更多影響專注力的因素，讓你有一些具體的方法來提高

“專注的時候，需同時做到兩件事：
凸顯需注意的事物、抑制不需要的事物。”

專注力，不再把容易分心、不夠專注簡單歸咎爲自己不夠努力。

爲什麼腦子不夠用？

根據腦神經科學家的研究，當我們專注的時候，需同時做到兩件事：「凸顯你需要注意的事物」和「抑制你不需要注意的事物」。

例如，你在車站裡等同學，在來來往往的人海中，你要從中找到同學的臉，這是「增強」「凸顯」；同時，你也必須把所有不相干的人和其他景象屏蔽抑制下去，這就是「抑制」。

把專注的東西拉出來，不相關的東西過濾掉，這兩件事情同時發生，都需要花腦力。尤其抑制不相干的噪音或訊息，是非常耗腦力的。

我們的大腦需要能量、糖分、血糖、氧氣來維持運作，而且它也會疲累。所以如果你想像鍛鍊肌耐力一般，鍛鍊專注力，就必須從「抑制系統」運作和「凸顯系統」運作兩個方面出發。

步驟一、幫助「抑制系統」運作

一、降低眼前的視覺雜亂

你的書桌是否擺滿了各種圖書、筆記本、零食、手機、雜物……？花點時間整理，把與學習無關的東西都收起來，最好只留下現在學習需要的課本和紙筆就好。你會發現自己更容易專心。因爲我們的大腦可以省下力氣，不用耗費能量去抑制不相干的訊息。

你可能會說：「嘿！不是報導說書桌很亂，表示你更有創造力嗎？」的確，很多創意天才的桌子非常亂。通常的解釋是，一個繽紛的環境，可能讓你接受到各式各樣的訊息，在你的大腦潛意識裡繞一圈後，可能會連接出創新的點子。

但是，**學習的過程並不需要天才般的創意，卻需要有效率的把任務完成。所以，請先把書桌上的雜物清空！**給自己一個乾淨、整齊的空間，幫助自己的抑制系統運作，達到專注的效果。

二、手機轉成飛航模式

手機在旁邊，總是有很多干擾，那就把它關成飛航模式！光是這一點，可能就成功一半了。手機對現在的社會而言，是個非常重要的工具，但我們要把它當成工具，而不是在不需要的時候令我們分心。

任何一個叮叮咚咚的訊息進來，都在告訴你：有新鮮事情發生了。雖然你只是瞄一眼，但研究顯示，光「瞄一眼」就會造成思緒中斷，而要回到原本的思路上，需要長達兩分鐘之久。還有研究發現，光是把手機放在旁邊，即便是關成靜音，效率還是比沒有手機在身邊的人要來得差一點。

所以，非常簡單的一步：把手機轉爲飛航模式，或乾脆直接「關機」！

三、運用噪音屏遮

我們都知道，如果周圍亂糟糟的，人就很難集中注意力，因爲我們的聽覺系統隨時處於待機狀態。一旦外界傳來聲音，聽覺系統會自動進行處理，把訊息傳入大腦，再由大腦進行分析和判斷。這個過程會消耗你的腦力和注意力，導致分心。

假如把自己放在一個沒有聲音的環境裡呢？也未必是好事。因爲絕對的安靜，會讓你更容易胡思亂想。而且，假如你習慣了絕對安靜的環境，當你要在宿舍、教室裡學習，恐怕更難靜下心來。而這些環境才是我們學習的常態。

到底要如何做呢？

我們可以用特定頻率的聲音，蓋過會讓你分心的聲音：這個技巧就叫「噪音遮蔽」。

> 「白噪音」有隔絕噪音的效果，
> 又不會有太多變化，影響你的專注力。

舉例來說，如果你想專心念書，但旁邊有一群同學在聊天，我們可以戴上耳機聽音樂，讓音樂蓋過聊天的聲音。但這不一定是最好的選擇，因爲好聽的歌曲還是會影響我們的專注力，尤其許多嘻哈歌曲的詞像在說故事，會讓你忍不住想聽。

「白噪音」遮蔽

最有效的遮蔽聲音，叫做「白噪音」。「白噪音」聽起來類似瀑布，或嘩啦啦的大雨聲。想像自己來到山裡，在奔流而下的瀑布旁、清澈的水潭邊，你閉上眼睛，會覺得心特別平靜。這不只是因爲瀑布的聲音大，而是因爲它同時具備了所有我們聽得見的頻率，所以很容易覆蓋過其他的聲音。而且因爲它本身變化不大，我們很容易就適應它。

當你在聽噪音遮蔽的音樂時，請記得戴上耳機。耳機能阻絕外面的聲音，同時不會給你太多的訊息，不影響你的注意力。

除了簡化眼前的視覺、手機開飛航模式、屏蔽周圍的噪音，同時，我們要盡量去除環境裡可能讓自己分心的東西。包括房間溫度、衣服太緊或不舒服，椅子太高、太低……。

所有會影響你專注力的事情，都必須先排除，讓大腦在學習之外，不必再額外花力氣。

步驟二，幫助凸顯系統運作

除了抑制不需要專注的事物之外，還必須凸顯我們所需要的訊息，該如何做到呢？

一、不要一心二用

我們要讓自己一次只專注一個目標，不要一心二用。可能有人覺得自己有辦法一心二用，甚至可以多工。那其實不是「同時」，而是你在幾件事情間不斷的切換。這非常消耗腦力，效率也並不高。

要提升專注力，就一次做一件事，而不是多頭並進。這是幫助凸顯系統運作的第一個要點。

二、運用番茄鐘工作法

你看過TED演講嗎？這個著名的演講平臺，聚集了全世界各領域的精英、專家和學者，以演講的形式分享自己專精領域的獨到經驗。除了演講本身非常精采之外，特別的是，每場TED演講都不超過十八分鐘。爲什麼？

TED的掌門人克里斯．安德森是這麼解釋的：十八分鐘，足夠討論完一個嚴肅的話題，同時，也剛好可以讓人維持注意力。

這是有理論支持的。有研究表明，一個健康成年人的平均注意力是十五分鐘。如果時間過長，人的注意力就會降低，轉移到別的地方去。那麼，即使後面的演講再精采，從腦力上來說，觀眾已經支撐不住了；從效果上來講，也得不償失。所以，TED設置了十八分鐘的演講時長，並要求所有講者都按照這個時間來準備。

我們學習時，專注力的特點也是一樣，**當你感到無法保持專注力時，要及時休息，讓腦力恢復。**我推薦一個時間管理工具：番茄鐘工作法。

「番茄鐘工作法」是由弗朗西斯科．西里洛所發明的。因爲他一開始用的是家裡廚房的烹飪計時器，剛好那個計時器是番茄形狀的，所以就叫「番茄鐘」。番茄鐘的方法就是設定兩個時間段，一個時間段工作，第二個時間段休息，交替循環。多數人剛開始練習時，會設定爲二十五分鐘工作，然後休息五分鐘。

如果你手邊有廚房用的計時鐘最好，這種計時鐘的英文叫egg timer，因爲通常用來計算煮蛋的時間。手機也可以下載各種番茄鐘的App，我個人推薦BeFocused。

“

使用番茄鐘有一個很重要的原則：
當鬧鐘提醒你要休息的時候，
一定要乖乖休息！

”

一開始，先爲自己設定好工作時間和休息時間的間隔時段（我建議二十五分鐘工作、五分鐘休息）。按下倒數計時，並在那段時間內，務必心無旁騖地專心工作。時間到了，就按時段讓自己休息。以這樣的間隔設定，四個回合就等於兩小時。我習慣在四個回合之後，再給自己十五分鐘的「大節下課」，讓自己有更多時間好好休息一下。

使用番茄鐘有一個很重要的原則：當鬧鐘提醒你要休息的時候，一定要乖乖休息！你可以起來動動身體、看看遠方、去喝杯水。雖然你可能會覺得自己精神還好，可以直接延長一輪，但我勸你不要這樣！因爲使用番茄鐘，就是讓自己能夠有固定的休息，以免專注力透支。這樣你才能維持更久的良好狀態。**如果你覺得累了才休息，那時候其實精神已經開始透支，**

之後專注的效率也會變差。專注力可以被訓練，但不要逞強！

三、專心啓動儀式，3、2、1，Action！

還有一個提高專注力的獨門技巧，是我在拍電視節目時無意中發現的。在攝影棚，當一切都準備好，正式開拍前，現場導播會倒數：五、四、三、二……然後揮個手勢，表示「開始！」雖然聽倒數會令人有點緊張，但我發現那個過程會啟動專注模式，好像開關一樣，很神奇。

後來，我利用手機的計時器做了個實驗。當我要開始專心時，會先倒數：「三、二、一」，然後按下開始鍵。光是這個小小的動作，就能讓我更容易專注。我後來也這樣教孩子，很有效，重點是要讓他們自己按下開始鍵。

比如，我叫他們整理房間地上的玩具，可能半個小時後他們還在地上玩，因爲他們會被自己的玩具分心。這時我拿出手機，打開倒數計時器，說：「我們現在要開始整理房間，我看你們多快能做好。來，你們自己按下開始鍵！」

他們自己一按下去，看到倒數開始，兩人就會變得更專心。這個「啓動的儀式」，就有相當好的效果。

預先設定目標

最後一點，**想要保持專注，要先設定一個清楚且明確的目標。**例如我明天早上起來，第一件事就是要打開書，先讀十頁，或是背十個單詞。這會預先通知你的大腦，要爲自己做好準備。尤其當我們睡了一覺，意志力、耐力跟專注力都比較充足的時候，就可以直接去做這件事情。

若沒有這樣的目標，通常你一覺醒來，第一件事就是打開手機，刷刷Instagram、看看YouTube、逛逛Facebook。眞正想開始做事時，寶貴的專注力已經用盡了。

所以最好在開始前，就先設定好明確目標：明天第一件事要做什麼？

專注力三原則

最後，每次開始學習之前，我要請你問問自己三個問題：

第一個問題Where：

環境是否有助於專注力系統運作，是否適合專心？如果不適合，用我剛才所分享的各種方法，來改變環境。

第二個問題How：

有什麼明確的方法可以幫助自己專心，幫助我的凸顯系統正常運作。包括定下明確的目標、時間，並給自己一個啓動儀式。

第三個問題Why：

這是最核心的重點問題，我們也要常常問自己「我現在在學的東西，爲什麼重要？我爲什麼必須學習？」

你要常常問自己這個問題，無論它是之於你的理性或感性，甚至是潛意識而言，那就是你內心的驅動程序，所以你必須盡量回答這個問題。如果你不知道自己爲什麼要學，又怎麼可能專心？

如果你對於「爲何學習」的唯一答案只是「因爲要考試」，那我建議你一定要再想一想！即便有時候會感覺一切都是爲了應付別人的期待，但學習終究是爲了自己，學會如何學習，也會對你終身有益。如果你很強烈深信「爲什麼學」，就更能夠忍受學習而來的疲累與苦悶。

引用我最喜歡的一句名言，來自心理學家維克多．弗蘭克：Those who have a strong why, can deal with almost any how.

當你心中的爲什麼夠強烈，那方法就不會再是問題了！

重點思考

- ☑ 專注時，腦子必須同時做到哪些事?
- ☑ 如何幫助「抑制系統」運作?
- ☑ 白噪音是什麼?有什麼功能?
- ☑ 如何幫助「凸顯系統」運作?
- ☑ 設定你自己的番茄鐘時間。
- ☑ 利用where、how、why三個問題，問自己為什麼要學習?

第8章

時間管理

之前聽過這麼一句名言：「時間最不偏私，給任何人都是二十四小時；但時間也最偏私，給任何人都不是二十四小時。」

這兩句話看似矛盾，卻道出了每個人對待時間的差異。同樣一天二十四小時，有人可以娛樂學習兩不誤，還能睡個美美的覺；有的人卻忙得焦頭爛額，時間總是不夠用。

不瞞你說，前面這種大神，我見過一些；而後面這些「學渣」，就數不勝數了。不幸的是，我也曾是其中一員。

剛到哈佛時，我躊躇滿志、信心滿滿，覺得自己一路學霸過來，學習根本難不倒我。結果，僅是一門課的閱讀書單，就把我打倒在地，爬不起來。

其實不光我，很多剛入大學的新生，都會遇到同樣的情況。原因大致有兩個。

首先，大學生活眞是太精采了！五花八門的課程，如雷貫耳的名教授，還有各種活力滿滿的社團。每個都那麼有吸引力，每個都想參加。

記得我當時一口氣參加了好幾個社團，一個旅遊雜誌社、亞洲學生會、一個教低收入戶孩子藝術的公益社團，除此之外，我還在學生電臺當ＤＪ。可想而知，除了上課，還能剩下多少時間學習呢？於是，睡眠時間就被一次又一次的透支。

其次，在上大學之前，大多數孩子，包括學霸們，時間都是被老師和家長安排好的。只要按部就班，照著時間表做就好了，什麼都耽誤不了。

但是在大學，沒有人會提供這種「保姆式」服務。你需要自己做主，什麼時候該學習，什麼時候要休息，都由你自己決定。有的同學甚至被這種看似「自由」的生活卡住了，根本不知道先做什麼、後做什麼。

我當時也是過得非常「艱難」，每天睡不足五小時，常在課堂上打瞌睡，但到了晚上又一尾活龍。一邊想參加晚上的派對，一邊得趕著把報告寫完。於是熬夜、瞌睡、派對、熬夜……我就好像踩進了爛泥潭裡，往前邁一步，又往後滑了兩步，愈努力，愈下沉，惡性循環。

最後，把我拉出泥潭的，是我的好室友Joe！他說：「軒，你不能和你的身體作對！」

一語驚醒夢中人！想想也奇妙，一直以學霸自居，把很多時間用在學習上的我，反而是從Joe身上——這位把多數時間用來練田徑的運動達人——學到了時間管理的關鍵。別小看學校的運動員們，他們最能明顯感受到體力的變化，各個都是時間管理的高手！

人一天的體力是有限的，像Joe這樣的運動員，每天都要早起去訓練，然後吃個早餐去上課。他必須安排好時間，才能保證自己的體力能分配到不同的事項上，並把事情做完。「你不能和身體作對，你在各個時間段，發揮它該有的力量；而不是在錯誤的時間，去透支它的潛力。」

我後來在學習心理學的過程中，找到了科學依據。

“意志力是有限的能量，
思考、決策、自我控制，
都需要使用意志力能量系統。”

在學習上，更重要的影響要素叫「心理能量」。這個概念最早是由心理學大師佛洛依德提出來的。他認爲，我們的自我是基於持續的心智活動而產生，而這些心智活動，都會消耗我們的能量。

比如，你一天的心理能量，就像手機電量一樣，充飽有一百格。上了一天課，回家之後，電量可能只剩二十格，這時你再去學習，就會有點力不從心。

「低電量」還會導致你自控力降低，更難抵抗誘惑。這是另一位心理學家羅伊．鮑梅斯特所發現的。我們的「意志力」也是有限的能量系統，當我們在做「思考」「決策」「自我控制」時，都在使用這個意志力能量系統。所以，你當下的能量多少，決定了能做多少事，有多少效率。

既然每天的心理能量有限，我們就應該好好規劃分配。如果一天中參加社團、看動漫、和朋友聊天等等活動，已經消耗很多能量了。那麼，留給學習的能量自然不會多，學習效果也必然受到影響。

所以，從心理能量的角度，**所謂時間管理，要管理的就應該是自己的體力和精神，讓它們以飽滿的狀態，在特定的時間內充分發揮。**而不是反過來，在某個時間內要求自己必須高效率——比如熬夜學習，這是時間管理的惡夢。

你可能會說：「奇怪了，我很少參加社團，在學校裡也沒有特別多的活動，基本上一整天都在學習。我的心理能量都用來學習了，還是常常感覺效率很低，怎麼回事呢？」

其實，很多人都有這樣的苦惱！全力以赴去學習，把時間榨乾，效率卻時高時低。那是因爲每個人都有自己的一條精力曲線，隨著時間高低起伏，生理學上稱這個節奏叫做「晝夜節律」。

了解你的精力曲線

精力曲線的變化，就是一天中我們精神的變化。精力曲線有個體的差異，大部分的人都是早晨精神最好、效率最高、專注力也最好，到了下午則逐漸下滑。但也有些人是早上精神最不好、效率很差，到了下午才逐漸醒過來，晚餐後漸入佳境，愈晚愈有精神。這種人通常是夜貓子。

儘管每個人的精力曲線有所差異，共同點就是：在精力曲線的峰值，你會覺得很有精神，很有幹勁；到了波谷，就會注意力不集中。

當你了解了自己的精力曲線分布，就可以合理利用時間，幫助自己提高效率！

要怎麼測量出自己的精力曲線呢？這需要下一點功夫，但會是一個很好的練習，讓你認識自己的身體。

你要先設定一個鬧鐘，讓它每小時滴滴響一次（排除睡覺時間）。每次鬧鈴響的時候，記錄一下自己的精神狀態，給自己打個分數：十分爲最高（精神奕奕），一分最低（快睡著了）。

測量一天後，把每小時的分數連起來，畫成一個曲線圖。這樣就能看出

“要成為時間管理高手、學習效率高手，先掌管自己的心理能量。”

你的精神什麼時候最好、什麼時候最糟。最好能連續記錄三到五天，每天用不同的顏色畫在同一張紙上，看看曲線是否大約一致。

現在，你已經理解了心理能量和精力曲線的奧妙，我們知道，在精神好的時間來學習，學習效率才會高。同時，我們也破除了一個學習上的誤區：「投入學習的時間愈多，學習效果愈好」。事實並非如此！

所以，要成爲一個時間管理高手、學習效率的高手，先做一個掌管自己精力的高手。要學會給自己做減法，減少自己在瑣事上的時間和精力投入，減少外部環境對自己的干擾，減少在精力低谷期的學習，讓自己的精力充分用到學習上。這才可以稱之爲學習上的「自律」！

另外，從心理能量的角度來看，一定要重視晚上的睡眠！因爲它從根本上補充你的心理能量。

晚上睡覺時，大腦會循環幾種不同的睡眠模式，有時甚至比清醒時更加活躍。當它進入慢波睡眠期，大腦會重現人在清醒時獲得的訊息，並將這些訊息從短期記憶轉化爲長期記憶，有利於我們對知識的沉澱和理解。

科學史上，有不少科學家在睡眠中獲得靈感，從而實現重大突破，就是大腦在睡眠時進行了訊息的重新處理。

認識睡眠的重要性，給自己規律的睡眠，是每一個學生都要掌握的。要做到這一點，重要的是睡前一小時的安排。**要在這一個小時裡，逐漸讓身心安靜、平穩下來，減少對大腦的過分刺激。從而更容易入睡，也有更好的睡眠品質。**

合理的學習計畫

在擬學習計畫時，「計畫總是趕不上變化」是許多人都遇過的狀況。要麼是作業怎麼都做不完，要麼複習總是超出預定時間，要麼犯了拖延症，最後心急火燎。

我想做的和實際能做成的，這其中的偏差，就是我們在時間管理上屢屢失敗的重要原因之一。所以，**當我們開始列學習計畫，首先要把每件事所消耗的時間，盡可能準確的評估出來，這讓我們對時間的掌控力大大提高，更容易成功的完成計畫。**

評估的方式是：你可以用計時器，經常性的記錄自己的學習時間。做作業用多久，背誦課文用多久，複習一個章節要多久，做一張試卷多久……。記錄愈多，你在制定學習計畫時，就不會好高騖遠。

或許你會說：我就是想在短時間內完成學習，想要提高效率，而不是在我的正常水平去完成。那樣哪來得及複習完？哪來得及寫完作業？

然而，我們必須正視現實，正視自己的能力。事實上，在自己能力範圍內做事，才能保證最高效的產出。如果我們不考慮自己的能力而制定學習計畫，就變成學習上的掩耳盜鈴了。

SMART 聰明五原則

在制定學習計畫上，有一個很好用的方法叫 SMART，也是英文「聰明」的意思。

SMART，是五個英文字母，代表了五個重點：

S，Specific，意思是你的目標要夠具體。

M，Measurable，你的學習進度要能夠被衡量。

A，Actionable，就是「可以被化爲一個行動」。

R，Realistic，你的目標需要考慮到現實狀況，而不是過度美好的夢想。

T，Time-bound，就是「有一個完成的期限」。

舉例來說，你的弱科目是英語，你打算用半年時間，提高一下英語水平。於是，你制定了一個計畫：

目標：用半年時間提高英語水平。

如何做：每天學習英語半小時，每週做一套英語試卷。

我們平時做學習計畫，是不是就是這樣？看起來似乎沒什麼問題，但實際執行起來漏洞百出，而且容易半途而廢。因爲這種方式，更像是提出一個願景，而不是做了一個實際能執行的計畫。從SMART的角度來說：

首先，Specific

用半年時間提高英語水平，到底提高到什麼水平？聽說讀寫譯，都代表了英語水平；考試成績，也代表了英語水平。到底是哪個呢？學習目標一定要具體，不如設定爲：用半年時間，記住課本考綱要求的一千個單字。或者，能夠無障礙聽懂課本上的所有英語音頻。

接著，Measurable

每天學習半小時英語。這只有行動，沒有對結果的要求，也沒法確定這半小時到底在學什麼，是做習題還是背單字？容易變成做一天和尚撞一天鐘。不如設計爲：每天上午背二十個單字，到晚上還能記住十個，每週能記住一百五十個單字。這就是一個能測量的計畫，讓你能檢視自己的努力是否有效，水平是否有提高。

再來，Actionable

任何學習都需要具體行動，光有想法是不行的。每天拿出半小時學英語，雖然也是一個行動，但還不夠具體。不如設定爲：每天晚飯後半小時，專門用於學習英語，一三五背單詞，二四六練聽力。這就非常具體，每天都知道要做什麼。

接下來，Realistic

計畫要有現實性，不能好高騖遠，要考慮自己的學習能力和時間。如果每天已經很忙了，很難拿出半小時學英語，就不能設定半小時的學習時間。如果你的英語很差，要先鞏固基礎，把去年的功課重溫一遍，而不是開拓新的學習範圍。自不量力在學習計畫中是絕對不可取的。

最後，Time-bound

要有一個完成期限，不能沒完沒了的去做；看似持之以恆，實際上是放鬆了學習要求。如果要用半年時間提高英語水平，那麼這半年就要把計畫中所有的目標都實現。因此，你不能隨意制定計畫，要綜合考量你的時間、精力、學習能力，這樣的計畫才有成功的可能性。

當你能夠用 SMART 原則來設定學習計畫，會發現時間變得可控，學習進度也變得可控。雖然你可能落後大家的進度，或離理想中的自己還有一段距離。但可控性會讓你知道自己走在正確的道路上，避免陷入「總是在學習、卻毫無成就感」的迷思。

時間管理和自我管理高度相關，而拖延症、專注力……等，都可以和時間管理形成呼應。它並非孤立的技巧，是綜合各個要素的結果。當你能夠把它們形成連動，形成好習慣，就會發現學習效果變好了。

但我也要說，執行這些方法的是人，人每天的狀態有起有伏。我們不是電腦，無法嚴絲合縫的一直按照程序進行下去。每天經歷的事情也總在變化，不時有突然的干擾，讓你無法執行原有的計畫。所以，即使是時間管理的高手，也不是把日程安排好，就一定能夠順利完成所有的事情。

所以，**我們在進行時間管理時，一定要留有餘量，不要把所有事情都排得像砌磚一樣密合。**這樣當你無法按計畫完成目標時，還有餘地可以轉圜、補救。

另外，對學生而言，學習當然是第一重要之事，但也別忘了，你還有自己的生活，有喜歡的書，有興趣愛好，有你想要關心的人和事。而且，生活

生活要有鬆、有緊，
勞逸結合，才能走得遠。

也要有鬆緊的節奏，勞逸結合，才能夠保持好的狀態，走得更遠。

你不妨在時間管理之中，給自己留一塊園地，哪怕每天只有十幾分鐘，把這段時間留給自己。這段時間裡，你可以做任何想做的事，就算是休閒娛樂，也不必有罪惡感，除非你用它來刻意拖延時間。

你也可以把這段時間作爲學習的獎勵。努力了一天之後，終於有自由的時間犒賞自己，這會讓你的心靈有所安放。特別是當你每天很緊張的學習，充滿了功課壓力，一點點自由時間，可以讓你浮出來透口氣，心理恢復彈性，不至於太緊繃僵化。

人的一天只有二十四小時，但一年有三百六十五天，只要計畫得當，合理安排，你總能夠把該學的學好。

時間管理是一種方法，關鍵仍然在於持之以恆，每日的小小改善和堅持，終究會累積成了不起的收穫。

重點思考

- ☑ 心理能量如何影響學習?
- ☑ 精力曲線是什麼?你的精力曲線是什麼樣子?
- ☑ 睡眠為什麼重要?
- ☑ 如何正確評估自己的各項學習時間?
- ☑ 何謂SMART原則?
- ☑ 時間管理的關鍵是什麼?

|第9章|

情緒管理

在我大學宿舍Adams House的同一條街上，有個白色的木頭房子。跟哈佛校園其他的百年紅磚樓房比起來，它看起來樸素又不起眼。

到了大二，功課愈來愈忙碌時，我才知道這個白色小房子的地位有多重要！它的名字叫「學習諮詢處」(Bureau of Study Counsel)，簡稱BSC。BSC在一九五〇年代成立，專門提供哈佛學生在學習方面的諮詢服務和課程。什麼樣的學生會去BSC呢？其實任何學生都可能去，包括一些「失落的學霸」。

我認識的許多同學，都是高中第一名畢業進入哈佛的。即便他們看起來信心十足，但每個人都會面臨各式各樣的情緒壓力。原本開朗的人變得很低落，陷入抑鬱。每年都有同學因爲情緒問題而必須休學。

在大學的四年中，我也曾經走進BSC好幾次。每次去都不是因爲想接受學業的輔導，而是因爲不喜歡心情影響了學習，但又很難控制，而把自己搞得更焦慮。從我當時在BSC看到的面孔，我猜想大部分去那裡的同學，也是差不多的處境。

“
身體和心靈是一整個系統，
會互相影響。
”

那裡的輔導員都相當有耐心，也很有經驗，畢竟年年絡繹不絕的學生進來，他們幾乎什麼狀況都見過。從那裡，我學到一個很重要的原則：**當我們要好好學習時，不能不做好情緒管理；而想做好情緒管理，第一件事，就是學會聆聽身體和內心的聲音。**

聆聽內在的聲音

比如，你最近面臨一個重要考試，壓力很大，很疲憊、很煩躁。我們第一反應往往是逃避負面感覺，跑去打遊戲，或做一些事情讓自己分心。但其實第一時間，我們應該要正視自己的情緒反應，接受自己有壓力的事實，再嘗試不同的方法，幫助自己排遣這個壓力。

> **靜下心來記錄自己的感受，**
> **不帶任何批判，**
> **才較能察覺問題的根源。**

如果你覺得內心悶悶不樂，試試看，停下片刻，找個不會被打擾的地方，拿出紙筆，寫下身體或心裡的所有感覺。你不需要解釋原因，純粹描述就好。

寫下感覺之後，再寫下你想要做的事。不是你「應該做的」，而是你「想要做的」。如果你想要偷懶、打電動、找朋友，就這麼寫！這只是給自己看的，沒有人批評你。

寫完之後，回讀一下你所寫的，然後再寫下你看了自己筆記後的心情。

如果你完成了以上幾個步驟，發現自己比較平靜了，就可以進一步問自己：「我爲什麼會有這樣的反應？爲什麼會有這樣的心情？」

當我們能夠靜下心來記錄自己的感受，再問自己「爲什麼」時，我們比較能夠客觀看待自己的心情，而不是加更多情緒在原本的情緒上。

快速平復情緒的方法

當然，有些情緒可能找不到具體的原因，也有可能寫下之後，你還是很激動。這裡我提供幾個技巧，可以從「身」來快速幫你調「心」。

當你有一些激動的情緒，比如生氣、焦急、躁動不安時，你可以：

1. 喝一杯冰開水，或用冷水洗臉

臉浸泡到冷水時，心跳會降速，這是一種神經反應。喝一杯冰開水，也能讓我們的核心降溫。當我們情緒高亢的時候，頭會發熱。這時候讓身體降溫，可以讓你快速冷靜下來，較能夠跳脫當前的情緒。所以**「冷靜」這個詞，本身就是個技巧。**

2. 做瑜伽

壓力會累積在身體裡，造成緊繃和疼痛，這時候做一些伸展，會達到舒壓的效果。瑜伽是很好的練習，不只因爲能做深度伸展，而且要維持某些姿勢，也需要控制平衡和呼吸。我自己特別喜歡做「樹式」，只要能維持這個姿勢三十秒左右，就能感受到自己變得比較平靜。

3. 四、五、六深呼吸法

吸氣四秒，吸飽後憋氣五秒，吐氣六秒。連續三次。

這個技巧最重要的部分就在「慢而刻意的呼吸」，每個步驟要做足時間，不能急。你必須控制自己的呼吸肌肉，讓身體慢慢、深深地吸氣和呼氣。這種深呼吸方式，有助於啓動副交感神經，幫助自己平靜下來。如果你

是晚上比較難入睡的人，也可以多試幾次，甚至把它延長爲「六、七、八呼吸法」。六秒吸、七秒憋氣、八秒吐，連續五次，會逐漸感受到睡意喔！

快速提起精神的方法

當你覺得心情比較鬱悶、提不起精神時，你可以：

1. 喝杯熱飲

喝一大杯（至少250cc）的溫熱水（大約45度），能讓你的核心迅速熱起來。這個原理就跟喝冰水讓自己冷靜一樣，只是反向操作。你會發現一杯熱呼呼的飲料喝下去之後，精神馬上就回來了！

2. 聽音樂，並向下拉

放一首動感的歌曲，然後隨著音樂進行幾次「向下拉」的動作：把背挺直，舉起雙手，然後快速往下拉，彷彿頭上方有個橫桿，你迅速把它往下拉到與肩膀等高的位置。跟著節拍這麼做，保證你一首曲子內，整個人都會熱起來！

3.平板式挑戰

你信不信有個技巧不但能讓你熱身，同時平靜心情、練肌耐力、專注力，還可以瘦身？這個萬能技巧就叫「平板式」。你可能在體育課學過：把雙腳打開與肩同寬，雙手撐地，呈俯臥姿勢平視地板，肩、背、臀呈一直線。背打直、夾屁股、收下巴、繃緊肚子。還有最重要的：不要憋氣，一定要維持平穩的呼吸！你可以從三十秒開始練，逐漸把時間拉長。如果你能把這個練起來，不但能隨時調整身心狀態，還能改善身材，一舉數得！我大力推薦！

當你有很多心事，腦中充滿雜念和思緒，揮之不去怎麼辦？如何快速透過身體調整心理？

有一個簡單的技巧，我稱爲「大腦清倉」。拿出紙筆，給自己五分鐘，把腦袋裡所想到的雜念全都寫下來。不用管字好不好看，不需要條列或組織你的想法，想到就寫下來。

這麼做的目的，只是要把你腦袋裡的思緒「下載」到一張白紙上。

當我們有事放在心上時，就叫做懸念。我們會一直去想它，因爲潛意識會告訴我們不能忘記它。但如果將這些事情寫在紙上，這個動作就是告訴潛意識：事情已經記下來了，你可以暫時先把它放在一邊。

當我們大腦清倉，寫完之後，會有鬆了一口氣的感覺。就是這麼神奇！雖然這個效果只是暫時的（畢竟寫下來的事情還是需要面對），但是在剛寫完的一小段時間內，你會有比較清楚的思緒。

你也可以在晚上睡覺前做一次，有助於清空思緒，幫助入睡。

與負面情緒相處

有些比較長期的情緒問題，需要我們用心去找到轉念的方法。

最常見的一種情緒問題，是我們腦海中的負面聲音。很多人都有過類似的體驗，腦袋裡好像總有個聲音在跟我們說話。

早晨它在催你：「快點！要遲到了！你總是遲到！」

下午它在盯你：「怎麼半天過去了，一點進度都沒有？你到底有多慢？」

晚上它在損你：「念那麼一點書就喊累，你看看人家多拚！」

睡前還不忘了踢你一腳：「趕快去睡吧！又浪費了一天！」

那個聲音是誰呢？當你仔細聽這個聲音的語氣、態度、用詞，是否像你曾經聽過的某個人的聲音呢？

它可能來自某個師長、你的父母親，或你的朋友。他可能時常給你打擊，說一些負面的話。

調整大腦裡習以為常的負面系統，
用溫暖的聲音鼓勵自己。

這些聲音不斷地重複播放，久而久之，我們不但把它當作自己的聲音，還認同了它的評論。

那麼，如何對待這些來自腦海的自我攻擊呢？

當我們對自己有比較高的目標和要求，但沒必要一天到晚逼自己、責罵自己、跟自己過不去。我們要學習體諒自己，給自己多些關愛。所以，當你被腦中的負面聲音困擾著，想要改變，你可以這麼做：

想像你生命中最仁慈、最溫暖的那個人，可能是你的祖母，或某位老師，請用她的聲音，來代替腦海裡的那個聲音。你可以用他溫暖的聲音，安慰自己：「加油，你一定能找到方法解決的，你可以做到的。」

這可能需要一段時間適應，但會從根本上解決很多的情緒問題。

想像一個仁慈的聲音來安慰鼓勵自己，並不是自欺欺人或逃避現實，而是調整你大腦裡習以爲常的負面系統。**當你愈來愈習慣腦中響起那個仁慈的聲音，壓過那些批評的負面聲音，乃至完全替換掉它們，你的心就會愈來愈平靜，行動的力量又會回來了。**

我就是學不好！這是眞的嗎？

你覺得樂觀的人更容易學得好，還是悲觀的人呢？

我們可能會認爲，悲觀的人因爲覺得失敗的機率很高，所以更加奮發圖強，下更大的功夫，於是有更好的成績。但心理學家發現，**往往是樂觀學生的學習效果較好，而且較可能有好成績，甚至在畢業投入工作後，也會有更好的業績！**

原因在於，樂觀的人和悲觀的人，面對困難和挫折的態度很不一樣。

樂觀的人在面臨失敗和挫折時，會認爲這些都是暫時的，是可以改正和

> 人生難免有失敗，有收穫必有挫折，
> 這是人生的必經之路。

克服的。因此能夠放寬心態，從失敗中汲取教訓，使自己更加進步。

悲觀的人，會把失敗和挫折歸咎於「是我自己不行」「這些總會發生，我就是克服不了」。他們會因一時的失敗而否定全盤，陷入自責的泥淖，於是更加害怕挫折。

但人生難免會有失敗，有收穫必然有挫折，這是人生的必經之路。關鍵在於，我們如何看待這些事？是抱持悲觀的態度自怨自艾，還是以樂觀的態度積極面對？

同學，你是偏樂觀還是悲觀？如果你是悲觀者，但不喜歡負面思考的話，我有好消息：其實樂觀心態是可以鍛鍊出來的。我們甚至可以運用反問自己的幾個問題，來對自己悲觀的想法進行轉念。

幫助自己轉念的五個問題

當一件事情發生之後，我們是從負面的角度去思考，還是從積極樂觀的角度去思考，這是可以選擇的，也會產生連鎖反應，帶來不同的結果。

即使有時候你覺得事情太難、情緒很差，當你能夠從正面去考量，並採取積極的行動，再難的困局，也會出現轉機。

考前焦慮，就是很常見的情緒難題。

「我對這個科目沒信心，也沒興趣！」

「這次考砸了，我的人生就完蛋了！」

「如果不用考試，叫我做什麼都可以……」

如果這些負面聲音在腦子裡轉啊轉，只會讓壓力愈來愈大，十有八九會影響你的睡眠和考試狀態。

這時候，你可以問自己五個問題：

1. 我的這個想法，是真的嗎？

2. 我的這個想法，有相反的證據嗎？

3. 我的這個想法，對我有幫助嗎？

4. 如果我放棄這個想法，最糟的後果會是什麼？

5. 如果我放棄這個想法，最好的後果又會是什麼？

我們假設一個情境，來套用這五個問題：

想像你今年的期中考失常，考得很爛。面對即將到來的期末考，你變得異常緊張。你擔心自己再一次失敗，擔心自己沒有足夠充分的複習。這個擔憂逐漸變成一個唱衰自己的負面聲音。「我八成會考不好！」你心想：「我完蛋了！」

我們用這五個問題，逐一檢視「我八成會考不好，我完蛋了！」這個念頭。請盡量誠實作答，不要用反骨或賴皮的方式回應自己。請記得，這是面對你自己，不需要叛逆。

問題1：「我八成會考不好」這個想法，是真的嗎？

答：「是眞的，因爲期中考就考爛了啊！」

問：那「我完蛋了」是真的嗎？

答：「沒有，其實考差了會感覺很糟，但不至於會當掉整堂課。『完蛋』其實有點誇張。」

問題２：「我八成會考不好」這個想法，有相反的證據嗎？

答：「去年的期末考還ＯＫ，不是每次都考得不好。」

問：那「我完蛋了」這個想法，有相反的證據嗎？

答：「其實我現在還是好好的。」

問題３：「我八成會考不好，我完蛋了」這個想法，對我有幫助嗎？

答：「其實，一點幫助都沒有。反而讓我很焦慮，無法專心。」

問題４：如果我放棄「我八成會考不好，我完蛋了」這個想法，最糟的後果會是什麼？

答：「就是期末考試也考砸了！那眞的會很糟，但不至於會完蛋。」

問題5：如果我放棄「我八成會考不好，我完蛋了」這個想法，最好的後果又會是什麼？

答：「我會更冷靜，也能更理性面對這個考試，可以有更多自信，也許會考得更好。」

回答完這五個問題之後，再感受一下自己的心情。你很可能會發現，焦慮感減輕了。這是什麼道理呢？

自我辯論，緩解負面情緒

這些問題在心理學叫做「自我辯論問題」(disputing questions)。

第一個問題以「是眞的嗎？」這個簡單的提問，來提醒你面對問題，但不要誇大。

第二個問題讓你用理性尋找相反的證據，來擺脫極端思考。

第三個問題讓你意識到，緊緊抓著執念，可能對你造成的負面效果。

第四個問題讓你做最糟的打算。這似乎與樂觀背道而馳，但其實往往我們最擔心的反而不敢去想。讓自己想像最糟的狀況，也是一種「面對現實」。

最後，第五個問題讓你想像「放棄這個執念」的好處。

你會發現，自己擔心的往往是一個「過度誇大的問題」，是在自己嚇唬自己。結果到底怎樣，要等到事情發生後，才會知曉。現在擔憂不僅無濟於事，反而讓自己壓力更大。按照這個順序反問自己，不但可以幫助你更理性面對現實，也可以考慮到「如果放下這個執念，會有什麼好處」的可能性。

每當遇到難以逾越的心結或情緒，你都可以用這五個問題來反問自己，挑戰自己的既有成見和負面情緒。

補充說明一點：這些問題能幫助你緩解負面情緒，但緩解情緒後，你還是需要採取行動，不只是想想就算了。**轉念，是為了讓自己更積極面對問**

> **學習的能力，**
> **需要建立在健康的身心基礎上。**

題。念轉了，人就要動起來。

這一章我們談了很多，也分享了許多技巧，但一切都回到我在大學的那間白色小房子裡獲得的觀念：學習的能力，終究需要建立在健康的身心基礎上。

你可能已經有很好的體力和過人的毅力，也很能吃苦耐勞。但「健康」的意思，並不是你多麼強悍，而是你懂得如何與自己的情緒相處，懂得什麼時候該放鬆，什麼時候該振作起來，以及如何振作。**不要跟自己過不去，更不要拿自己的身體出氣。**

記住！英雄最難過的一關，往往就是自己。但現在你知道許多方法了，加以練習，相信自己，你絕對可以變得更積極、更樂觀，讓學習更有效！

重點思考

- ☑ 平復激動的情緒有哪些方法?
- ☑ 快速提振精神的方法有哪些?
- ☑ 大腦清倉是什麼?怎麼做?
- ☑ 受負面情緒困擾，怎麼改變?
- ☑ 「自我辯論問題」是什麼?為什麼能夠幫助自己轉念?

第10章

恆毅力與成長型思維

每次看到實驗報告裡的統計數字，我就會想到Marsha。

Marsha是我研究所的同學。她人圓圓的、說話慢慢的，笑起來很喜氣，像個泰迪熊。

來自波士頓最貧窮區域的Marsha，能申請進哈佛教育學院博士班，憑的是努力、行動力，和多年的工作經驗。她希望自己能當個校長，回到家鄉改善當地的教育環境。

當時，我們研究生的「惡夢課程」就是統計學。功課多、考試難、教授很嚴格。每次在課堂上，教授停下來問：「有誰有問題嗎？」大家都戰戰兢兢的，唯有Marsha一定會舉起手，慢吞吞地說：「老師，我有點搞不懂……」

一開始，她連問題都說得吞吞吐吐，顯示基本的理解程度都不足。教授說：「好，沒關係，讓我先繼續講，妳課後來找我。」

每次下課，Marsha都會上前找教授。只見教授跟她在那裡比手畫腳的解釋，她專注地點頭，其他學生都離開教室了，他們還在那裡。往往在學生休息室見到Marsha，她都在做習題。她也不會不好意思，笑咪咪的把我們攔下來說：「嘿，你可不可以幫我看看這題，我不曉得有沒有答對？」

期中考後，教授特別走到Marsha的位子前，對她說：「已經不錯了，再接再厲。」

Marsha沒什麼脾氣，課堂上雖然眉頭深鎖，聽得很吃力，但每次跟她聊天，還是一樣的開朗：「這統計學眞是不容易啊！但我好像開始有點概念了……」

成功的要素

然後，突然有一天，Marsha開竅了！我們從她在課堂上問的問題就能感受得出來。而隨後，她突飛猛進，程度開始追上，甚至超越了我們其他研究生。期末考後，教授說：「我通常不會公開討論成績的，但我不得不宣布，Marsha考了全班最高分！」我們大家都爲她鼓掌。

隔年，Marsha成爲了統計學這堂課的研究生助教。

讓我問你一個問題：你學了許多學習方法，掌握了那麼多不同的知識，最重要的是什麼？

我的答案是——**堅持**。

把這些方法運用在你的學習中，不斷去練習、去修正，堅持下去，直到成爲你的學習習慣。這聽起來很簡單，但我要說，最難的地方，也就在這裡，所謂的「知易行難」。

就像每天要運動，早睡早起，不拖延，像所有的好習慣一樣，我們很容易知道它的好處，但是眞正能夠日復一日的堅持，眞的不容易。

而這也是一道分水嶺，左邊就是普普通通，大家都一樣；而右邊，則是優秀，是卓越，是你能夠領先別人的地方。

心理學家李惠安（Angela Duckworth）把這種「爲一個自我認定有意義的長期目標，一直鍥而不捨追求」的能力，稱之爲grit「堅毅力、恆毅力」。這是近年來教育學界非常重要的發現，顛覆了我們過去的很多認知。

> **堅毅，是預示成功與否的關鍵因素。**

研究發現，無論是在大學、高中，還是軍校的各種賽事中，與智商、情商、長相等要素相比，grit 是更加重要，也更爲可靠的指標，預示你是否成功。

特別是在一種不確定的、充滿變化的環境中，你可能會遇到很多麻煩，甚至多次失敗，但只要你有堅毅的品格，不斷去嘗試，就有機會成功。

我們的傳統文化中，也有很多關於堅毅的描述，比如「有志者，事竟成」「鍥而不捨，金石可鏤」，都是在強調堅持的重要。而心理學家所推崇的堅毅，包含了兩個關鍵要素：

1. 對長期目標飽含熱情（Passion）
2. 有堅持不懈的毅力（Perseverance）

前者，就是你要找到內心的那個why，搞清楚自己爲什麼發自內心的想要追逐實現這個目標，那麼你就能夠內心充滿前進的動力。

而後者，也是我想要特別強調的「毅力」，又包含了兩層意思，第一是你足夠執著，足夠堅持；第二是你能不能忍受每天枯燥的、乏味的，甚至不斷重複的練習。

很多人憑藉著一腔熱情，想到一個好點子，就興沖沖上路了。可是一路上並不都是風景秀麗。沒走幾步，過了新鮮期，接下來都是些瑣碎的、枯燥的、腳踏實地的努力，他就堅持不下去了。

努力、努力、再努力

我們的學習也是一樣。今天你發現一門自己很感興趣的學科，學習到一個很高效率的方法，你很興奮的想把這門學科研究清楚，把高效方法用在學習上。可是，很快你就會發現，這個過程十有八九是蠻枯燥的，而且時間會很長。

> **學習像跑馬拉松，**
> **需要不懈的努力、忍耐與恆心。**

而你，就是要忍受這[illegible]瑣碎，在日復一日的堅持下，去追求你想要的目標。

而這就是堅毅。

我希望你有這種堅毅的品格，因爲學習是個馬拉松，需要堅持不懈的努力，更需要忍耐、需要恆心，需要克服苦惱和孤獨，要懂得如何與自己和平相處。

這其中有很多可以自我優化的空間，比如我們要勞逸結合，把大目標拆成小目標；要有學習思維，這也是我一直在分享的內容，讓學習不那麼枯燥，讓效率變得更高。

但同時，我們也要知道，**你對於學習的熱情和你的毅力，是讓這一切能夠得以發揮的基礎，這個基礎愈牢固，你能發揮出來的學習力就愈大。**

定義出grit的李惠安教授，提出了一個「成就公式」：

才華×努力＝技能

技能×努力＝成就

當你爲一項才華付出努力，你就會獲得技能。

當你努力應用這個技能時，你就會取得成就。

不努力，你的才華只是「未開發的潛力」。

不努力，你的技能就是你本來可以做，但從未做過的事情。

李惠安教授說：「Grit 對一個人的成功，占兩倍的比重。」

所以下次，當你看著身邊更有才華的人，心想「哇，爲什麼他們有，而我沒有」？你必須相信，隨著時間的推移和持續的練習，改進會隨之而來。

如果你有堅毅力，你一定會進步，這是毫無疑問的。

你一定聽過「小時了了、大未必佳」這句話吧？[illegible]時候很聰明、很有才華，甚至很有成就，但長大了未必更好。這是[illegible]

史丹佛大學心理學家卡蘿．杜維克也對這個問題很感[illegible]過一番研究，她發現，很大的差異來自於我們的思維。

假設你有一位同學，每天都很努力學習，成績不錯，但並不是拔尖的那種。不過他面對考試都很平常心，不會因爲考了高分，就認爲自己高人一等，也不會因爲考得不好而垂頭喪氣。他總是會研究每次考試出錯的地方，整理出一個錯題本，讓自己下次考試不會犯同樣的錯誤。遇到不會的難題，他會想辦法搞清楚，如果實在搞不懂，也會向其他同學請教。

而另一個同學，成績也很不錯，但是他感覺是因爲自己比較聰明，所以成績好。你看到他在學校不怎麼認眞聽課，似乎在展現他因爲聰明，所以不需要花太多時間學習的形象。實際上，他回家要花很多時間偸偸讀書，甚至要熬夜。而因爲他要不斷證明自己是聰明才拿高分，所以對考試成績很看重。如果別人的分數比較高，他就很不自然，因爲那證明別人比他還聰明。

我們要向哪一位同學學習呢？

很顯然，第一位同學比較值得我們學習，因爲他在面對學習時，有更加積極和開放的態度。他所展現的叫做「成長型思維」。有成長型思維的人相信「練習可以培養出新能力」。他會告訴自己：「學習不容易，總有曲折和挫折，我要做的，是找到解決的方法，然後就能邁過去。如果我解決不了，那就求助同學、老師，直到找到解決方法。」

因此，他們勇於面對挑戰，願意從錯誤中學習，樂於感受自己的進步，不會因爲一時的失敗就放棄，就像我同學Marsha一樣。

第二位同學所反映的，則是「固定型思維」。擁有固定型思維的人認爲，才華是與生俱來的，很難改變，而自己的智商、能力也都是固定的。他們早早就給自己下定論，不敢挑戰困難，無法接受失敗，也不認爲自己能改變什麼，所以遇到困難常常逃避。

固定型思維	成長型思維
努力不重要，關鍵是看智商	通過不斷努力，我就可以做到
有些事我很擅長，但其他事我不行	我能學會任何想學的事
遇到困難，我不擅長，所以放棄	遇到困難，我想要挑戰一下
失敗了，說明我就是做不成	失敗了，但我從中學習到很多經驗
別人成功了，我感覺受到威脅	別人成功了，我從中學到了經驗

你覺得自己屬於哪一種思維呢？

我們當然更希望自己擁有成長型思維，因爲它讓我們在面對學習時，有更加積極和開放的態度。但如果你發現自己偏向固定型思維，有辦法改變嗎？我們是否能透過訓練，來增強自己的成長型思維呢？可以的！

完成小目標，建立信心

首先，建立信心。

> 把大目標拆成小目標，讓不斷的「小完成」來增加自己的信心。

在於不斷獲得正向的反饋。即你做了就會有收穫，比如，有一些運動的App，可以制定訓練計畫，開始只是一些小目標，比較容易達成。當你達到時，就有積分獎勵。於是一次、兩次、三次，你爲了贏得小獎勵，不斷堅持，這樣進步愈來愈大，心情也愈來愈好，對自己的信心也愈來愈強。

持續的堅持，帶來持續的正回饋，足以在心理上建立一個牢固的信念——我能夠做到，我已經做到。於是自信心就建立起來了。

所以，想建立自信，先把大目標拆成小目標，讓不斷的「小完成」來增加自己的信心。再不斷加碼，去實現更大的目標，讓信心不斷增強。

第二，提高能力。

在學習過程中，不斷修正、檢視學習的結果。比如，你要練習跑步，可以請隊友把你的跑步姿勢錄下來，看哪裡做得不對，進行檢視、修正。然後再錄一次，再修正。逐漸的，你就能夠愈跑愈快，愈來愈發揮你的實力。

在每個環節上檢查結果，然後進行修正。不要怕麻煩，在這個過程中，你總能找到自己的不足，能夠查缺補漏，你學習上的盲區就愈來愈少，學習效果自然愈來愈好。

當你在不斷修正中看到自己進步，觀察到能力不斷提升，信心也會提升！

第三，加強動力。

這是很多人匱乏的，找不到學習動力，好像總是爲了考試，爲了別人在學習。關鍵就在於，你如何看待學習這件事。

不管我們想不想學，學習都是一件我們不得不做、而且要做好的事情。

那麼，不妨用一個簡單的方法：**把每天要做的事情，從「我得要」這種心**

> 把每天要做的事，從「我得要」，
> 轉變為「我想要」。

態，轉變爲「我想要」。

每天睡覺前，寫下明天重要的幾件事，開頭都要有「我想要」三個字。

我想要背誦第三章的重點。

我想要做完一份英語試卷。

我想要整理過去三天的課堂筆記。

寫完後唸幾遍，讓自己相信這就是我想要做、我選擇去做的事情。第二天，你的動力會增強很多。

不要覺得這是自己騙自己，這是切實有效的方法，影響的是你的潛意識運作。在潛意識裡，這是你自己選擇的目標，掌控感會讓你的動力更強！

不斷訓練這三個要素，你的自我效能感會不斷增強，通過自己的努力取得成功的概率也不斷增加。這就是你能夠建立成長型思維的關鍵。

現代社會有很多功利的地方：考試一定要奪第一、不成功就不快樂、錯過眼前的機會就難以翻身……等等。於是，我們卯足了勁去鑽牛角尖，拚上了心力和時間，一旦沒有達到自己的預期，就心情沮喪，感到挫敗，甚至一蹶不振。

但人生如此漫長，就算當下錯過了，何嘗不會在未來重新獲得呢？就像很多時候，我們會因某件事而感到難過、自憐。但你想一想，三個月之後、三年之後再看呢？十年之後再看呢？恐怕就不會覺得這件事有多麼了不起了！

人生就是這樣，在關閉一扇窗後，未來說不定會爲你開另一扇門。如果第一次失敗了，還是可以嘗試第二次、第三次，直到成功。千萬不要有「我現在做不到，所以我永遠都做不到」的想法，那只是一時的自我逃避。

學習就像打怪一樣，我們在通過一個個關卡時，自己也會變得愈來愈有

> **只要持續進步，不需要樣樣追求完美。**

能力，經驗值愈來愈高。**如果我們期望每件事都能做到完美，無形之中會給自己帶來許多壓力，那就不好玩了。**人在壓力下，除了心態容易失衡，還會養成逃避的心態。

此時，請告訴自己：只要我一直不斷進步，那麼，我不需要把每件事都做到完美。只要晚上睡覺前的我，比早晨起床的我，多進步一點點，那麼，我這一天就沒有虛度。

從「自我進步」而非「完美主義」的角度，去看待人生中的各種關卡和挑戰，將大大提高你的執行力，也會增加你面對困難和挫折時的心理彈性。

當你已經很習慣某種行爲模式，待在其中很安全、對事情很有把握，沒什麼挑戰性，那就稱爲「舒適圈」。比如，你很擅長寫某種題材的作文，於是每次考試你都那樣寫；或者，你更喜歡文學，所以花很多時間讀小說，卻不願意去解數學題……

舒適圈不一定是你擅長某件事，於是一直重複做它，還可能是擅長的反面。比如，你不喜歡社交，於是每次同學聚會你都宅在家裡。你不愛公開表達，於是學校組織的各種活動，你都拒之千里。

舒適圈，讓我們很安全、很自在。但是，卻劃了一條界線。你害怕出圈，於是就一直原地踏步，沒有辦法走向成長的下一程。這是我們要警醒自己的，不能長久待在舒適區裡！而且，年輕的你，也不應該在舒適區裡消耗自己的光陰。

當我們發現自己已經很熟悉某個領域的知識或技能，感覺不再成長了，這時，就要檢視自己，是否已經在舒適圈待太久了。

拿打籃球做比方。當你學會了基本的運球、投籃，也能和同學們打一下

> 舒適圈很安全、很自在，
> 卻讓你原地踏步，無法成長。

配合，可以說學得不錯了。但如果你希望讓自己打得更好，就要繼續往前，邁出舒適圈。

你會需要增加訓練量，每天比別人多跑幾千公尺、多投幾百次球，還要做一些重訓，也要和更厲害的球隊比賽。一開始八成會被對手打著玩，但這就是過程，因爲每次場上的經驗都會讓你再進步一點。咬牙堅持一段時間後，你慢慢適應新的強度，也感覺到自身的進步，開始獲得全新的成長。

這是成功踏出舒適區的過程。如果你嘗試了一下，覺得有壓力，轉身又退回舒適區，就沒有辦法提高球技了。

所以，多給自己一些走出去的勇氣吧！嘗試一些舒適圈外的事情，哪怕只是小小的一步，也會帶來新鮮的體驗。每天堅持做一些改變，累計起來也會是巨大的進步。

當你有勇氣走出去，甚至願意冒一點險來嘗試從未有過的挑戰，你所經歷的過程，遇到的新人事，都會讓你的人生因此豐富。

沒有什麼不可能，只要你放手去做，勇敢去探險！

重點思考

- ☑ 什麼是成功最關鍵的因素？
- ☑ 心理學家李惠安提出的grit是什麼意思？
- ☑ grit如何影響一個人的成就？
- ☑ 固定型思維與成長型思維的差別是什麼？
- ☑ 成長型思維如何訓練？
- ☑ 如何增強自己的動力？
- ☑ 檢視自己的舒適圈，試著踏出一步。

後記

你為何而學？

你為何而學？我在這本書一開始問了你這個問題，現在結束時又要再問一次。

不過現在，你應該知道我為什麼會問了吧。因為對於學習來說，這個內心的why，實在太重要了。

一個人只有找到內在動力，才能夠長久堅持一件事，哪怕枯燥無聊、壓力大，也能夠驅使你持續前進。

而離開學校後，你是否還會保有學習動力呢？希望你會！

學習，並不會因為沒了考試而停止。當你進入一個新工作、新崗位，你需要學習新的技能；就算你在同一個崗位上，也需要不斷更新你的知識。

現在有一個詞叫「終身學習」。知識不斷的更新迭代，而且根據預測，知識爆炸的速度還會繼續加快。這意味著，有生之年，你學到的很多知識可能都會過時。你會需要學習新的知識，才能跟得上時代潮流。當所有人都在進步，後浪不斷推著前浪的時候，我們不能就這樣被沖到沙灘上。

人生的每個階段，也都有新的課題出現，我們需要不斷更新知識，來解決新的問題。而且，即使是同一個問題，不同閱歷、經驗、知識背景的人，也會有不同的解法。當你有足夠開闊的視野、足夠豐富的知識儲備，你就會比其他人得出更好的答案。這在競爭激烈的人生長跑中，是多麼重要啊！

成爲終身學習者

所以，我們每個人勢必都要成為一個終身學習者。那麼，對於一個終身學習者，什麼是最重要的呢？

我認為是：始終保持好奇的能力。

好奇心，是我們與生俱來的特質。小嬰兒對於世界有著旺盛的探索欲望，什麼都想摸一摸、碰一碰。他們是多麼渴望了解這個世界、學習這個世界啊！

而我們，都曾經是一個小嬰兒。只不過隨著年齡長大，有了很多煩惱，遇到很多挫折，有生活的壓力，使我們的好奇心逐漸被磨掉了。而沒有好奇心的學習，常常使我們停留在問題的表面，找到了說得過去的答案，能夠交差，我們就不再探索下去，而這對於深度學習是個災難。因為知識並非孤立，它一方面會延展出新的知識，另一方面會和其他知識產生連結。「這樣就可以了」的心態，無疑讓學習變成了走馬看花式的淺層了解。

所以，我希望你永遠有一顆好奇心，永遠對未知的領域躍躍欲試，這會讓你不容易被成見干擾，能夠不斷突破局限，為自己開拓一片廣闊的知識疆土。

探索世界吧！

在這本書裡，我分享了很多觀念，講述了不少技巧。我希望看了這本書後，你會更有信心和動力去學習。我始終認為：每個人都想學習，也都能學得好，只要學會如何學得好，學習可以充滿樂趣，成為自己的動力。

偉大的二十世紀物理學家理查・費曼就曾經說過：「沒有人搞得清楚生命究竟是什麼，但這並不重要。探索世界吧！只要你研究得夠深，幾乎所有的東西都會變得非常有趣。」

提到費曼，你還記得「費曼學習法」嗎？我鼓勵你運用這個技巧，把這本書的內容，介紹給身邊沒讀過的朋友們。如果你能讓別人聽得懂，而且還感到有趣，恭喜你！這表示你已經內化了這本書的知識。我也要特別感謝你，因為你啟發了另一個人的學習力。

在學習中找到趣味，並把趣味分享給別人，這本身就是一件非常快樂的事。就如同我當年受到啟發，如今自許啟發別人；願你持續用學習力，點燃自己和其他人的好奇心。

與你同行在成長道路上的朋友

祝終身樂於學習

附錄一

未來的人才需具備什麼能力？

劉軒

我們的世界正在快速的改變，快到這個新文章送印的前夕，我又改寫了一次。

光在過去幾個月中，ChatGPT的AI技術已經顛覆了資訊產業，直接把「搜尋」升級為「搜尋＋統整＋撰寫」。有人用ChatGPT3來寫報告、寫作文，甚至還有人用它直接回答法律學院的期末考問題，經由資深教授批改，竟然還及格過關。

我以前曾問：「有了Google，為何還要熟背元素週期表？」

而現在不得不問：「有了AI，誰還會乖乖的寫讀書報告？」

幾年前專家就預測：重複性高、不需太多腦力的工作，即將被機器取代。

但現在我們赫然發現，連重複性不高、需要動腦的知識整理工作，也竟然可被取代！我們怎麼看待學習，以及我們對學習的認知和心態，都必須往更高層、更進化的方向發展。

「我們為何而學？」這個大哉問，有了新的急迫性。

位於巴黎的跨國組織「經濟暨合作發展組織」(OECD)曾進行過一個大規模的調研，針對所預測的二〇三〇年的職場樣貌，試圖定義出未來人才須具備的技能以及核心素養。

根據他們第一階段的報告，未來人才需要具備的素養有三：第一，是能夠使用工具來溝通互動的能力，包括語言工具和知識工具，還包括使用科技來溝通互動的能力。第二，是未來的人才必須能夠與自己相異的人合作。這包括能夠對他人展現同理心並妥善處理衝突。第三個核心素養，則是能夠自主採取行動的能力，包括規劃並執行自己的人生計畫，並對自己的需求和權利有所主張。

你有沒有發現，這些能力好像都跟學校的科目沒有直接的關係？確實，這些「軟實力」或「人格素養」，雖然都是可被訓練的，但通常不會出現在一般的課綱中。我們這時不禁要自問：怎樣才能讓我們的學生、我們的孩子，實踐出這三種不同的素養呢？

未來素養1：高效學習力

針對第一項，如果我們希望學生能夠活用語言、科技來互動的話，那麼他們現在需要去鍛鍊的是什麼樣的能力呢？我認為他們首先必須懂得如何快速的學習，不僅快速吸收知識、快速的理解，更重要的是能夠把知識點連成線，從線拉成面，歸納出自己的觀察和預測。如果不能快速的學習新知，或只會覆誦，沒有主見，那麼現在所學的都將不再足夠，也就難以應對未來的變化。

未來素養2：高ＥＱ

那麼第二點呢？怎麼樣跟自己不一樣的人相處互動？這就要培養ＥＱ了。ＥＱ就是「情緒智商」，而簡單來說，情商可分為四個面向：認識自己的情緒、認識別人的情緒、處理自己的情緒、以及處理別人的情緒。一個ＥＱ高的人，對這四個面向都有認知、自覺力和技能，而且也有道德標準和同理心，於是能夠與不同背景的人互相合作。

未來素養3：高自我驅動力

至於第三點，如何能夠自主採取行動呢？這就必須有很強的自我驅動力、自我管理的生活能力，不但要有夢想，也能把夢想轉為計畫，並且務實的一邊執行、一邊修正改進。無論一個人學的是什麼，都需要具備這素養。

我非常幸運，在網路革命的早期那幾年，順利申請進入哈佛大學，後來又直接就讀哈佛教育學院的心理學博士班。我前前後後在哈佛待了十年，算是一個Old Crimson了。

要成為一個哈佛生確實是萬中選一，很多人把這視為升學的終極目標。但我必須說：進入哈佛後，才是另一番挑戰的開始。面對海量的資訊、來自各地的菁英，以及看似無限的學習資源，很容易讓人陷入選擇障礙或超過負荷。但我在書裡所提到的室友Joe就是個游刃有餘的神人之一：他功課好、當ＤＪ，還是田徑隊健將。他跟我一樣每天有二十四小時，也需要足足八小時的睡眠，但重點在於他如何規劃剩餘的時間。他雖然愛玩也當ＤＪ，但懂得如何抓緊狀況好的時候複習，也在狀況不好時就去補眠，鬆緊拿捏適當，也因此總是看起來很從容。

我從身邊很多「真學霸」的身上，都看到了這個特點：他們知道如何把力氣花在刀口上，並掌握了自己的生活節奏，全然為自己負責。真正厲害的學霸，非常懂得善用自己的時間和資源。他們擁有非常高效能的學習能力，知道怎麼節省時間，也有良好的生活習慣，因此不需要特別克制自己，也可以逐步達成目標。而「高效學習」和「自我管理」這兩者都建立在一個基礎上，也是我認為最重要的——健康的身心。他們懂得如何讓自己保持在一個良好的狀態。這是我所深信的：健康的身心，是一切的基石。

面對未來的挑戰，我們需要學會如何用高效的方式吸收資訊、用系統化的方法管理自己，並培養一種為自己負責的健康心態。這一切看似不容易，但從我身邊所認識的一些優秀同儕，我知道這絕對不是「不可能的任務」。

科幻作家亞瑟·克拉克（Arthur C. Clarke）有句名言：「任何足夠先進的技術都與魔法沒有區別」。當科技已經讓我們不斷地驚呼「這怎麼可能?!」的時候，我們要讓自己成為魔術師，而不只是在旁嘖嘖稱奇的觀眾。

回到一開始的問題：我們為何而學？

就是為了把Impossible，轉化為I'm possible。

讓這個信念，成就你的不敗學習力！

附錄二

訪劉軒：創造自己的價值

陽明交通大學醫學系　學生
林宸緯

讀劉軒的《不敗學習力》是一種震撼，因為有太多強效受用的學習方法被收錄其中，而這些方法竟然都是有理論依據且被系統歸納的。我高中時代被身邊的同學師長稱為「學霸」，那是萬不敢當，因為我深深知道自己在專業知識上的貧乏，更遑論在知識的統整理解和記憶上有什麼「祕訣」可言，只能說，都只是經驗累積的結果。直到我讀完《不敗學習力》才萬分震懾而驚喜的發現，原來這些方法，竟是無數心理學家和行為學家畢生的心血結晶。

我們都知道，劉墉是一位「虎爸」，而劉軒是一位「學霸」。就我的觀察和經驗，似乎學霸的背後都有這樣高壓的家長。我很好奇，被虎爸訓練出來的劉軒，認同嗎？

劉軒分析美國和臺灣的升學狀況。臺灣的升學管道雖然日漸多元，但大抵不脫標準化的大型考試，劉軒不諱言，臺灣學生的數理能力在全世界位列前茅，其實就是這麼一次又一次艱深的考試淬鍊出來的。而美國則不然，美國的大學入學是用「申請」的，要參酌的項目很多，包括課外活動經歷、家庭背景等項目，真正考試的部分只有SAT一項而已。所以，若以考試成績定義學生能力而來的學霸稱呼，劉軒自謙不是。

學霸養成記

即便如此，劉軒在諸多領域取得的傑出成就是不爭的事實，而劉軒把這一切歸功給了他的父親。劉墉的嚴格，是嚴格在一個人的品格和態度上，好比守不守時、主不主動等等；但就學習領域的選擇上，劉墉的態度是開放的。劉軒回想起他初入哈佛大學，有幾週的時間稱為shopping period，教室形同賣場，所有課堂的大門皆敞開，學生可以依照自己的好惡和興趣自由選擇，甚至替換主修科目。在這段期間裡，劉軒享受到了不受任何價值思維拘束的自由。我很難想像一位傳統的東方父親竟能有這般開放的態度。原來，當年劉墉本人也是如此。

劉墉求學的時候不喜歡念英文，甚至跟老師頂嘴，說鐵了心不念了，然後醉心在自己熱愛的校刊等外務上；而當時的英文老師也鐵了心把劉墉給死當了。後來劉墉還是依照自己的愛好考上師大美術系，即便當時沒有人知道作為一個畫家的未來前途如何。劉墉慨然地走在自己的道路上，並且憑藉著高度的自我要求，在文壇畫壇闖蕩出斐然的成績。在劉軒的眼中，劉墉的威權並不彰顯在兒子的職涯、興趣選擇上，而是要求高度自律，講求細節，嚴謹、優化，就像《超越自己》裡說的。雖然劉軒說，當年劉墉寫那本書時，他有很多地方不認同，但如今這個年紀回看《超越自己》，他已然有了更成熟的見解。

斜槓人生 vs 傳統價值

聽劉軒的口吻，本以為在選擇自己的職涯和斜槓人生時，他不曾遭遇任何傳統思維的阻撓。其實非也。劉軒講得坦白，「我們還是得在意自己的收入。」

父母親希望孩子選擇某些行業而非另一些行業，最根本的理由就是收入。因為沒有收入，就沒有在社會上立足的空間。但劉軒依然想要往自己的興趣前進，所以他的解決之道，就是「提升自己的價值」。

劉軒回到臺灣以後，做起音樂ＤＪ、當節目主持人，甚至跨足雜誌媒體。這些在傳統價值裡貌似不務正業的行為，表面上並不能帶給劉軒太多的收入，但劉軒卻善用了他的專業，賦予這些職業更多的價值。在雜誌社中，要和一些公關公司接洽，甚至要和外國人接觸並開會。劉軒善用之前在廣告公司學到的行銷思維和簡報能力，以及他長年在美國培養的外語能力，讓他成為公司向外拓展的一步活棋。劉軒說：「若我只搞音樂，那我或許只是個ＤＪ；但今天我有了行銷企畫和設計的能力，我便可以成為一個音樂指導。」「從ＤＪ變成音樂指導，收入差得可多了呢！」

我十分認同劉軒跨界創造價值的思維。巧的是，這也是我父母長期教育我的觀念，用所學的專業結合興趣，去彩繪屬於自己的天空。但這樣的想法在時下臺灣的教育模式中並不多見，而劉軒說，在美國也還是少數。「美國是一個移民國家，特別是那些印度裔和亞裔的移民們，為了穩固自己的經濟基礎，會高壓地教育下一代，必須成為醫生、律師、工程師。」「但是時代慢慢改變了，隨著社會進步，我們看到愈來愈多移民的小孩去表演脫口秀、去做喜劇演員，他們也都取得了很棒的成績。」

教育與職涯選擇的觀念會隨社會發展而改變，劉軒期許臺灣社會未來走向百花齊放，真正實現行行出狀元。但講到未來，那又是一個充滿未知的篇章。

找到自己的天分

沒有人能知道未來會發生什麼，特別是這個進步飛速的時代。劉軒回想起自己十七、八歲時，還幻想千禧年後，汽車會在空中翱翔的畫面，即便那個時候連電腦都還是個稀罕的奢侈品，而且儲存容量只有 8Kb。

劉軒十七歲那年，抽獎抽中了一臺電腦，他用那臺電腦寫了一條很簡單的程式，並以此在紐約的學生科學競賽中得了名。「要不是我那時太愛玩了，不然我應該會繼續搞電腦。說不定我現在已經是矽谷工程師了！」

進到哈佛大學以後，劉軒的確有想過修習電腦相關的課程，不過在聽說修那門課會剝奪很多睡眠時間後就卻步了。但那時有修習電腦課的同學，雖然當年睡得少一點，但很多後來都進了矽谷，成了工程師、電子新貴、科技巨擘。

能在十七歲就知道自己要做什麼的人不多，而十七歲就能預知未來會如何發展更是無稽之談。我們可以觀察自己的興趣和時代的風口，也許能大展一番宏圖，但劉軒認為，對一個十七歲的少年而言，更重要的是找到自己的天分。

「天分不是想出來的，是做出來的。」劉軒認為，所謂天分，並不是憑藉著空想或性向測驗得來，而是每個人長時間觀察自己的行為，找到那樣沒有酬勞也能夠一直做而不疲憊的事，那才是一輩子的志業。但這件事不一定是什麼興趣或技能，可能只是和朋友說故事、把一群不認識的人組織起來辦活動等等。其實每個人身上都有一些我們不曾正視的潛能，只是缺少發掘。

劉軒以前會告訴十七歲、即將面對生涯抉擇的人：Find your passion.（找到你的熱情）。但他現在改口成「找到你的天分」。劉軒坦言，他也是經歷了很多事情、很多時間以後，才找到自己的熱情，但天分則可以隨時發現。在十七歲的年紀裡，多的是機會，多的是時間，多的是各種嘗試的可能。劉軒並不後悔自己當年沒有選擇進到電腦產業，但如果再回到年輕的時候，他願意多犧牲一些睡眠，去追尋他想要的事物。而這樣自願付出的軌跡，絕對會在生命裡留下足夠的份量，也就無所謂後悔可言。無論未來變成什麼樣子，一切都會是最好的安排。

金牌學霸　真情推薦

（依筆畫排序排列）

學習是永遠的功課，但我們在學習之前，得先學習「如何學習」。就讀心理學系的我，知道人類有我們自己的一套演化設定，像是喜歡追求愉悅感（立即的生理上滿足）。或許看到這裡你會覺得灰心，但事實上利用一些方式，我們也能克服困難。而《不敗學習力》正是提供一套完整的方法，讓你懂得學習、記得牢固、寫得精準、讀得迅速、克服拖延、專注在目標上，學習之路無往不利！

——政治大學心理系學生　**乙烯**

《不敗學習力》對每位學習者而言，絕對是迷茫中的一盞燈。在「學習」與追求「好成績」這不斷碰撞的路上，劉軒的十大方法顧及「讀書」、「考試」、「筆記」以及「心態」等等面向。以科學的研究與學習經驗，給了剛升上大學不適應的我最詳盡的解答。學習路上迷路的各位小夥伴們！你們在讀書上的乏力與無奈，在《不敗學習力》裡，一定可以找到自己的答案！

——中興大學行銷系學生　**大魚**

這本書總結了非常多高效學習的方法，當中不少正巧和我過往使用過的讀書方法相同，實測有效！帶上劉軒教給你的學習技巧，可以省去很多自己摸索的時間，更快速掌握學習要點。

此外，我認為學習是一輩子的事情，也因此我相信這本書適合每一個人，即使已經脫離學生身分，擁有良好的學習力仍能幫助你立於不敗之地！

——高雄醫學大學校友／youTuber　**子葉**

這本書裡有好多不同的學習方法，不論你是天才型學霸，還是苦讀型書生，一定都可以從書中找到你真正有感的方法。這並不是一本毫無根據的心靈雞湯書，而是那種有很多專家研究、科學根據的內容，我甚至想稱它是一本「工具書」！是那種只要你在學習上遇到困難，隨時回頭查閱，都可以有新收穫、新方向的一本書。只要照著書中的內容循序漸進地前行，相信你一定也可以感受到學習效率的差異！

——臺灣大學醫學系學生　**王茹**

作者劉軒有心理學的背景，在《不敗學習力》當中不只有完整的方法，更從成因下手，知道綁住自己學習手腳的問題出在哪兒，有系統地去了解如何跨越學習障礙。情緒管理、時間管理好了，才有可能達成想要的學習力、記憶力、筆記力、閱讀力、複習力。

——北一女中學生　易昀

這本書裡除了關於筆記和記憶的技巧，還有很多有關拖延、專注、情緒、時間等等的主題討論。如果學期間讀書很迷茫，這本書很適合拿來多啃幾次！時常收到網友的私訊詢問讀書方式，其實這本書的原理就很夠用來制定屬於自己的讀書計畫。畢竟自己才懂最適合自己的方法，我覺得看書和自我反省，是學習如何學習最快的方式！

——臺灣大學法律系學生　林海兒

全書大概可以統整成一句話：學習是需要方法的。考試與學習是兩門學問，但交互影響極其深遠，無論知識、技巧、情緒、壓力，劉軒將帶著我們一一擊破。我知道這世界上有太多不勝考試之擾的朋友，我也是其中一員。不過我們不必擔心，劉軒在書中陪伴我們，共同抹去心中的陰影，找回成功學習的信心。無助的現況即將被改變，而美好的未來正等著我們去創造。

——陽明交通大學醫學系學生　林宸緯

在《能自處，也能好好相處》一書中，就久仰劉軒的大名了。在《不敗學習力》書中，感覺更認識劉軒，以及他的學習法了。

本書描述了他在大學時期，認識了各種非常優秀的朋友，有那種玩社團、跑田徑、交友廣闊（甚至還是ＤＪ！）的室友，但是成績一樣維持在Ａ的等第。這也促使劉軒開始思考，為什麼他們會玩、又會讀書呢？

本書包含十個章節，其中我特別推薦的是「筆記力」、「記憶力」，跟我曾經出過的「高中學習方法」影片，許多小技巧都不謀而合！書本寫得更仔細，還有適當的小插圖輔佐學習。

非常推薦這本《不敗的學習力》給各位，不管是國高中生，又或者是要學著管理時間的大學生，都可以一起來閱讀，增加自己的學習力！

——陽明交通大學百川學程　主修電機工程學系／youTuber 蕉人　**黃宇晨**

如果學習類書只能挑一本，我會推薦《不敗學習力》！此書涵蓋幾乎所有學習上的問題，看完後有種豁然開朗的感覺。它不像是一本心靈雞湯，看完之後覺得被療癒心靈，卻又說不上怎麼樣可以更好。更不像是一本工具書，雖然有用，但讀起來會痛苦。看這本書的時候，你會一邊覺得它講得很有道理，一邊又知道該怎麼具體實現，不知不覺就看完全部，還驚呼「怎麼不寫多一點！」所謂活到老，學到老，這本書甚至受用於工作者！

——陽明交通大學學生／創作者 Aviva.啊A

本書是我學習路途上迷茫時的一盞燈，能對於學習時遇到的問題提供具體的建議及方法！

——國立臺灣師範大學學生／YouTuber It's Jane

記得剛拿到這本書的時候，我忘記帶鑰匙回家，那時是半夜一點多，請了鎖匠來，跟幾個同學蹲在電梯間讀這本書。

昏暗的燈光下我一點點看著劉軒列出的讀書重點，這個畫面其實還蠻荒唐的。但不得不說劉軒的《不敗學習力》完全喚醒了我的學習思路，很多重點與理論都與我在考試時的思考不謀而合，我的很多讀書方式與心態，也非常清晰及理論化的呈現在本書裡。

真心推薦這本書，無論在學習任何方面的事情，好的方法肯定有助於我們離理想愈來愈近。

——臺灣大學牙醫系學生 VW

國家圖書館出版品預行編目（CIP）資料

不敗學習力：學霸都在用的10大聰明讀書法/劉軒著.
-- 第一版. -- 臺北市：遠見天下文化出版股份有限公司,
2022.02;　面；　公分

ISBN 978-986-525-404-9（平裝）

1.學習方法 2.讀書法

521.1　　110020069

不敗學習力

學霸都在用的10大聰明讀書法

作者／劉軒
教育顧問／蕭惠如（洛洛）

《未來少年》總編輯／陳季蘭
副總編輯暨責任編輯／周思芸
封面暨美術設計／李健邦
美術編輯／黃淑雅
插圖／Singing、放藝術工作室（封面）、shutterstock（p19、p20、p162）
校對／魏秋綢

出版者／遠見天下文化出版股份有限公司
創辦人／高希均、王力行
遠見・天下文化・事業群　董事長／高希均
事業群發行人・CEO／王力行
未來親子學習平台社長兼總編輯長／許耀雲
國際事務開發部兼版權中心總監／潘欣
法律顧問／理律法律事務所陳長文律師
著作權顧問／魏啟翔律師
社址／台北市104松江路93巷1號2樓
讀者服務專線／（02）2662-0012　傳真／（02）2662-0007；（02）2662-0009
電子信箱／gkids@cwgv.com.tw
直接郵撥帳號／1326703-6號　遠見天下文化出版股份有限公司

製版廠／東豪印刷事業有限公司　印刷廠／盈昌印刷有限公司
裝訂廠／台興印刷裝訂股份有限公司　登記證／局版台業字第2517號
經銷商／大和書報圖書股份有限公司　電話／（02）8990-2588
出版日期／2022年2月7日第一版
2023年3月7日第一版第19次印行

ISBN：4713510940693　定價／380元　書號：BFMY016AP
EISBN：9789865254711（EPUB）；9789865254728（PDF）
未來出版網址 futureparenting.cwgv.com.tw/kids
※本書如有缺頁、破損、裝訂錯誤，請寄回本公司調換。